R O W O H L T
B E R L I N

HELMUT SCHMIDT

Das Jahr der Entscheidung

Rowohlt · Berlin

Lektorat Thomas Karlauf

1. Auflage Mai 1994
Copyright © 1994 by
Rowohlt · Berlin Verlag GmbH, Berlin
Alle Rechte vorbehalten
Satz Aldus (Linotronic 500)
Umschlaggestaltung Walter Hellmann
(Foto Wolfgang Wiese)
Gesamtherstellung Clausen & Bosse, Leck
Printed in Germany
ISBN 3 87134 201 7

Inhalt

Vorrede

Mit diesem Buch richte ich mich an die Wählerinnen und Wähler des Jahres 1994. Mehr als je seit der Vereinigung liegt es in ihrer Hand, ob wir noch tiefer in den Morast taktischer politischer Spielchen sinken – oder ob wir uns daraus befreien. Diese Befreiung kann nur gelingen, wenn wir uns eine andere, eine frische Bundesregierung wählen! In diesem Jahre stehen wir vor ungeheuer vielen Wahlen und Wahlkämpfen, von der Landtagswahl in Niedersachsen im März und weiteren sechs Landtagswahlen über kommunale Wahlen in neun Bundesländern und eine Wahl zum Europäischen Parlament im Juni bis zur Bundestagswahl am 16. Oktober. Dazwischen liegt im Mai die Wahl des neuen Bundespräsidenten. Viele von uns werden 1994 dreimal, sogar viermal zur Wahl aufgefordert.

Leider ist schon heute eine erhebliche Wahlmüdigkeit und deshalb eine nachlassende Wahlbeteiligung zu erwarten. Dies war bereits im September 1993 bei der Hamburger Bürgerschaftswahl zu erkennen. Sie war zugleich Vorspiel und Menetekel für das Superwahljahr 1994. Nur noch 70 Prozent der Wahlberechtigten haben sich an der Hamburger Wahl beteiligt. Bedenklicher jedoch war der Umstand, daß 30 Prozent aller tatsächlich abgegebenen Stimmen auf solche Parteien entfielen, die im Kern Protest gegen die bestehenden politischen, ökonomischen oder ökologi-

schen Verhältnisse zum Ausdruck gebracht hatten. Die
Hamburger Wahlergebnisse und die daraus folgende sehr
schwierige, unbefriedigende Koalitionsbildung müssen eine
Warnung für die Bundestagswahl 1994 sein.

Eine ähnliche Warnung sind auch manche Ergebnisse der
brandenburgischen Kommunalwahlen im Dezember 1993.
Wenn zum Beispiel der Bürgermeister-Kandidat der PDS in
Potsdam 45 Prozent der abgegebenen Stimmen erhielt, so
war auch dies zum großen Teil Ausdruck eines allgemeinen
Protestes; nur zu einem geringen Teil steckte dahinter die
Überzeugung, die ehemaligen Kommunisten in der PDS
würden mit den bedrückenden Problemen im Osten
Deutschlands besser fertig als SPD oder CDU.

Bei der niedersächsischen Landtagswahl hatte die PDS
kaum Chancen, auch die Republikaner blieben deutlich un-
terhalb der Fünfprozenthürde. Beide extremen Randparteien sind also im neuen niedersächsischen Landtag nicht
vertreten. Wie schon ein halbes Jahr vorher in Hamburg ist
auch die F.D.P. in Hannover an der Fünfprozentklausel gescheitert. Das führte bei der Mandatsverteilung zur Stärkung der beiden Volksparteien SPD und CDU. Dabei ist die
sich auf ein einziges Mandat stützende absolute Mehrheit
der SPD ein Glücksfall.

Man könnte demnach fast annehmen, daß der in Hamburg sichtbar gewordene Trend zur Schwächung der beiden
Volksparteien zum Stillstand gekommen wäre. Aber kurz
darauf haben die Kommunalwahlen in Schleswig-Holstein
gezeigt: Die Gesamtlage ist immer noch im Fluß, die weitgreifende Politik- oder Parteienverdrossenheit ist keineswegs überwunden.

Die politische Klasse unseres Volkes hat seit der Vereinigung manchen Protest und vielerlei Kritik herausgefordert; davon handelt das erste Kapitel dieses Buches. Aber ist unsere Lage wirklich so hoffnungslos, daß wir zu Protestparteien Zuflucht nehmen müssen, was eine gefährliche Zersplitterung der politischen Landschaft zur Folge hätte? Oder anders gefragt: Wenn wir uns wirklich in einer schwierigen Lage befinden, können wir uns denn dann einen Rückfall in die politische Zersplitterung leisten, wie wir sie in den letzten Jahren der Weimarer Republik erlebt haben? Meine Antwort darauf ist ein ganz entschiedenes Nein, dreimal Nein! Nein, denn unsere Lage ist keineswegs hoffnungslos. Nein, denn von den Protest- und Splitterparteien, stehen sie nun am linken oder am rechten Rand, ist keine durchgreifende Besserung unserer Wirtschaft, unserer Beschäftigungslage, unseres Sozialsystems zu erwarten. Nein, denn unsere erfahrenen Volksparteien sind – bei all ihren Fehlern – durchaus reformfähig.

Die Volksparteien bedürfen in der Tat einer inneren Erneuerung. Sie müssen erkennen: Sie selbst sind schuld daran, wenn sie heute von einem großen Teil unseres Volkes für die Verdrossenheit verantwortlich gemacht werden. Manche Deutschen empfinden gegenwärtig aber geradezu Lust am politischen Verdruß. Es ist Mode geworden, die eigene Verdrossenheit über Parteien und Politiker öffentlich zu bekennen. Die Politiker und die Parteien müssen in diesen Spiegel schauen – noch haben sie ein halbes Jahr Zeit bis zur Bundestagswahl. Aber auch wir Wählerinnen und Wähler haben noch die Frist eines halben Jahres, um zu begreifen, daß die törichte Lust am Verdruß nichts bessern kann, sondern im Gegenteil: Wenn wir darin verharren, werden wir schuldig an weiterem politischen Verfall.

Wer die heutige Lage Deutschlands und Europas nüchtern betrachtet, jenseits von Pessimismus und Optimismus, wird schnell erkennen: In der Tat, wir stehen mitten in einer vielfältigen Krise. Diese Krise hat einige ideologische Aspekte, sie enthält vor allem aber ökonomische sowie innen- und außenpolitische Elemente. Fragen wir nach den Ursachen, haben wir keinen Grund, die Flinte ins Korn zu werfen. Im Gegenteil: Zwar birgt jede Krise Gefahren, aber zugleich birgt jede Krise auch Chancen. Die Chancen zu erkennen *und* zu ergreifen, das ist heute unsere Aufgabe. Wir haben uns nach 1989 zunächst zu lange der Freude hingegeben. Danach haben wir allzulange optimistischen Vorhersagen und Versprechungen geglaubt. Allzulange haben unsere Regierenden versucht, mit hundert kleinen Reparaturen und Korrekturen die groben Fehlentscheidungen zu vertuschen, die ihnen im Einigungsvertrag und danach unterlaufen sind. Manche Fehler sind nicht mehr korrigierbar, sie bedürfen der Zeit, um auszuheilen. Andere Fehler jedoch sind durchaus noch reversibel – allerdings nicht innerhalb weniger Monate.

Heute brauchen wir den Mut zur Wahrheit. Die Wahrheit ist: Es gibt kein allumfassendes Patentrezept. Sondern wir brauchen einen vielfältigen Handlungskatalog, und die meisten Maßnahmen können nur mittelfristig zur Wirkung gelangen. Das zweite Kapitel dieses Buches nennt die wichtigsten Mittel und Medikamente zur Überwindung unserer wirtschaftlichen Krise. Das dritte Kapitel gibt Wegweiser für die notwendige Politik zur Herstellung des inneren Friedens. Das vierte Kapitel handelt vom äußeren Frieden.

Die Wahrheit ist: Ein Arzt, der eine anhaltende Krankheit im Handumdrehen zu heilen verspricht, ist kein Arzt, sondern vielmehr ein Quacksalber. Wir, die Regierten, müssen darauf achten, daß wir auf keinen Scharlatan hereinfallen. Wir dürfen sicher sein: Es bestehen gute Chancen, daß wir uns aus unserer gegenwärtigen Misere herausarbeiten, *wenn* wir zu ausreichenden Opfern bereit sind. Dafür erhoffen wir uns Vorbilder.

Alle unsere Nachbarn in Europa rechnen damit, daß wir Deutschen in der Lage sein werden, unsere gegenwärtige ökonomische Misere zu überwinden. Viele fürchten sogar, wir würden uns zur wirtschaftlich alles dominierenden Macht in Europa entwickeln. Zugleich fürchten sie, wir würden Europa damit auch politisch dominieren wollen. Diese Besorgnis ist nicht vorgetäuscht, sie ist echt. Einige unserer Regierenden haben solchen Ängsten unwillentlich und unbewußt Nahrung gegeben. Deshalb bleibt auch dies notwendig: uns bewußt selbst einzubinden in die Europäische Union.

Gegen diesen Willen zur Selbsteinbindung, von allen sechs Bundeskanzlern verfolgt, gibt es neuerdings eine nationalistisch gefärbte Bewegung, so als ob nationale Identität und europäische Identität sich gegenseitig ausschlössen und als ob deshalb Bekenntnis und Wille zur europäischen Selbsteinbindung ein Verstoß gegen die Lebensinteressen unserer Nation seien. Das Gegenteil ist wahr.

Wer von uns antieuropäisch gesinnte, nationalistische Politiker oder Parteien wählt, kann mitschuldig werden daran, daß Deutschland in Europa eines Tages abermals isoliert sein könnte – wie schon 1914 und erst recht nach 1933. Außenpolitisch ist nichts wichtiger als ein enges, freundschaftliches Verhältnis zu unseren beiden wichtigsten Nachbarnationen, den Franzosen und den Polen.

Wenn das Schicksal des ersten deutschen Demokratieversuches von 1919 bis 1933 sich nicht wiederholen soll, kommt es zuallererst auf uns Deutsche selbst an. Damals haben viele unserer Vorfahren in der Verzweiflung über die Massenarbeitslosigkeit sich den Verführungen extremer Parteien links (Kommunisten) und rechts (Nationalsozialisten) hingegeben. Dies darf sich nicht wiederholen. Als Wählerinnen und Wähler dürfen wir weder die heutigen Kommunisten noch die heutigen Republikaner in Betracht ziehen.

Wir haben das grundgesetzliche Recht, und wir haben die moralische Pflicht, unsere beiden großen Volksparteien zu kritisieren. Zugleich aber dürfen wir nicht vergessen: Sie vor allem sind es, denen wir die beiden Grundpfeiler unserer Gesellschaft verdanken, nämlich das Funktionieren der parlamentarischen Demokratie und die Stabilität der sozial gebändigten Marktwirtschaft.

Es wäre gut für uns alle, wenn auch in Zukunft die eine Volkspartei die Regierung führte und die andere Volkspartei die Opposition. Es wäre weit weniger gut, wenn wir Wählerinnen und Wähler die Volksparteien durch das Ergebnis der Bundestagswahl 1994 in eine große Koalition miteinander zwängen. Es wäre schlecht, wenn wir sie zu komplizierten Koalitionen mit mehreren Flügelparteien, mit Protest- oder Splitterparteien drängen oder gar zwingen würden. Davon handelt das fünfte, letzte Kapitel.

Ich bin kein Schwarzmaler. Ich bin überzeugt, wir können der Versuchung entgehen, nach dem Wegfall des alten Feindbildes Moskauer Prägung nunmehr an dessen Stelle das künstliche Feindbild «Ausländer» zu setzen. Ich bin überzeugt, wir können unsere wirtschaftlichen Probleme lösen – *wenn* wir der Wahrheit ins Gesicht sehen, *wenn* wir uns auf die moralische Grundtugend der Solidarität besinnen, *wenn* wir unsere Zukunft selbst in die Hand nehmen. Dazu müssen wir unsere Politiker und unsere Parteien antreiben. Und sodann den Besseren unsere Stimme geben. Wir sind keine abhängigen Klienten oder Kunden des Staates oder der Politiker, sondern wir, die Bürger, sind der Souverän. Von uns selbst hängt unsere Zukunft ab. Wenn wir selbst uns zu Tatkraft und Solidarität aufraffen, wird uns das Werk der Vereinigung gelingen. Dann werden wir unsere offene Gesellschaft gegen ihre Feinde von links und von rechts erfolgreich verteidigen.

Ich bin überzeugt, wir haben dazu einen Wechsel der Regierenden in Bonn nötig. Deshalb wird 1994 das Jahr der Entscheidung sein.

Hamburg, im März 1994   *Helmut Schmidt*

I

Unsere gefährliche Lust
an der Politikverdrossenheit
Ein Aufruf zur Gelassenheit

Vor zwanzig Jahren haben einige Anhänger der CDU/CSU über mich gesagt, ich sei zwar der richtige Kanzler, aber leider in der falschen Partei. Ähnlich haben einige jungakademische Anhänger der SPD gedacht, ich sei zwar in der richtigen Partei, aber leider der falsche Kanzler. Solche Sprüche waren nicht ganz ernst zu nehmen, sie waren wohl auch nicht immer ernst gemeint. Aber sie spiegelten doch zweierlei wider: zum einen die Tatsache, daß sich die beiden großen Volksparteien erkennbar voneinander unterschieden – beide hatten ihr eigenes, deutliches Profil –, zum anderen die Tatsache, daß auch der Regierungschef offenbar sein eigenes, deutlich erkennbares Profil besaß.

Heute dagegen denken viele Deutsche, die politischen Parteien seien sich eigentlich doch alle ziemlich gleich – und auch die Politiker seien sich alle so ähnlich, daß wir sie getrost über einen und denselben Kamm scheren können. Dabei gelangen wir dann oft zu Pauschalverurteilungen: Unsere Politiker sind unzureichend, unsere Parteien sind unzureichend; sie leisten nicht das, was sie uns versprechen; sie leisten nicht einmal das, was nötig ist; sie sind nicht ehrlich; sie loben sich nur selbst und setzen die anderen herab. Für viele Deutsche sind Politiker zunehmend ein Ärgernis, und dies hat inzwischen zu einer Verdrossenheit über die politische Klasse insgesamt geführt.

Viele Bürgerinnen und Bürger fragen sich, ob es denn überhaupt sinnvoll ist, sich bei Wahlen für die eine oder die andere Partei zu entscheiden, für den einen oder den anderen Kandidaten. Mancher hat sich die Antwort bereits selbst gegeben: «Nein, es hat keinen Sinn, und deshalb erspare ich mir auch den Gang ins Wahllokal, ich kann ja doch nichts ändern.» Andere sind zu der Antwort gelangt: «Ich gehe zwar zur Wahl, aber die alten Parteien kann ich nicht mehr wählen. Statt dessen wähle ich eine der neuen Parteien. Zwar glaube ich nicht, daß die es besser machen. Aber wenn ich sie wähle, bringe ich damit meine Unzufriedenheit und meinen Protest gegen die alten Parteien zum Ausdruck – hoffentlich merken die sich diesen Denkzettel!»

Es gibt tatsächlich vielerlei Anlaß zu Enttäuschung, zu Ärger und Verdrossenheit – ja sogar Anlaß zu Angst. Viele Menschen in den östlichen Bundesländern haben Angst, ihre heutige Arbeitslosigkeit könnte zu einer endgültigen Arbeitslosigkeit werden und sie könnten überhaupt nie mehr einen ordentlichen Arbeitsplatz finden. Und sie haben Angst, weil auch ihr Schwiegersohn arbeitslos ist und gleichzeitig die Tochter mit der Abwicklung ihres Betriebes rechnen muß. Beinahe die Hälfte aller Arbeitsplätze in der ehemaligen DDR ist seit 1989 verlorengegangen. Viele haben außerdem Angst vor weiteren Mieterhöhungen, wenn plötzlich ein neuer Hauseigentümer kommt. «Wird er abermals eine höhere Miete verlangen? Wie hoch wird sie

ausfallen? Unsere Miete ist doch seit 1989 schon mehrfach
erhöht worden!»

Inzwischen steigt auch in den westlichen Bundesländern
die Angst vor Arbeitslosigkeit. Ganze Branchen der Industrie sind davon betroffen: Steinkohlenbergbau, Stahl,
Automobilindustrie samt ihren vielen Zulieferunterneh-
men, Flugzeugbau, Rüstungsindustrien, Maschinenbau –
und diesen Industriezweigen waren ja andere längst schon
vorangegangen, zum Beispiel die Textilindustrie oder der
Schiffbau. Viele Menschen haben inzwischen begriffen, daß
die staatliche Subventionierung ihrer Branche und ihres Betriebes nicht ewig in bisheriger Höhe weitergehen kann,
weil der Staat das Geld für andere Aufgaben braucht. Viele
haben Angst vor Kurzarbeit oder auch vor der Viertagewoche, weil beides geringere Einkommen bedeutet.

Insgesamt ist die Arbeitslosigkeit im vereinigten
Deutschland heute größer als jemals seit der Weltwirtschaftsdepression zu Beginn der dreißiger Jahre. Damals haben Verzweiflung und Wut viele Deutsche dazu verführt,
den Rattenfängerparolen der Nationalsozialisten und der
Kommunisten zu folgen. Beide zusammen haben den demokratischen Parteien immer mehr Stimmen entzogen und
den Reichstag praktisch lahmgelegt. Schon 1930 begann
eine quasi diktatorische Regierung: Weil sich keine Gesetz-
gebungsmehrheiten im Reichstag fanden, wurden statt or-
dentlich beschlossener Gesetze sogenannte Notverordnun-
gen erlassen – dies war der Anfang vom Ende der ersten
deutschen Demokratie. Zu allem Überfluß war die Politik
der Regierung Brüning wirtschaftspolitisch nicht zu Ende
gedacht: Sie wollte überall sparen, aber in Wirklichkeit hat
sie die deutsche Volkswirtschaft in die Deflation und immer

tiefer in den Abgrund und in die Arbeitslosigkeit gesteuert.
1933 wurde die erste deutsche Demokratie zur Beute Hitlers, der mit Hilfe des reaktionären Teils des Bürgertums
(«Harzburger Front») die Macht übernahm. Zwölf Jahre
später lag alles in Schutt und Asche.

Sind wir heute klüger, als es 1930 unsere Großeltern waren? Angst, Wut und Protest sind immer gefährliche Ratge-
ber. Bei der Bürgerschaftswahl in Hamburg im September
1993 haben Angst, Wut und Protest dazu geführt, daß
zwanzig Parteien und Listen miteinander konkurrierten.
Nur vier haben die Hürde der Fünfprozentklausel überwunden. Und zwei von diesen vier Parteien lebten in Wahrheit
entscheidend vom Protest. «Wir sind anders als alle anderen
Parteien», sagten sie, «wir sind alternativ», oder: «Wir sind
eine Gruppe von Leuten, die ihr *statt* einer Partei wählen
sollt.»

Dies war eine Wahl in einer Großstadt, in der naturgemäß
die Verbrechensrate etwas höher liegt als im Durchschnitt,
besonders bei Gewaltdelikten und Verbrechen, die mit Drogenhandel im Zusammenhang stehen. Die Angst vor Kriminalität hat bei der Wahlentscheidung vieler Bürgerinnen
und Bürger eine erhebliche Rolle gespielt. Viele Menschen
in Deutschland teilen die Angst vor der sich ausbreitenden
Gewalt. Wenn der Bundestag und seine Parteien sich weiterhin machtlos zeigen, wird dieses Thema, nächst der Arbeitslosigkeit, im Wahljahr eine große Bedeutung haben. Es
wird keiner der beiden großen Volksparteien nützen, die
«Schuld» der jeweils anderen zuzuschieben.

Es hat der CDU/CSU auch nichts genützt, daß sie sich
1992/93 große Mühe gegeben hat, der SPD die «Schuld»
dafür anzulasten, daß wir in unzuträglichem Ausmaß Asyl-

bewerber in Deutschland aufgenommen haben, die nicht wirklich unseren Schutz benötigten – so als ob es tatsächlich einer Grundgesetzänderung bedurfte, um diesen Zustrom einzuschränken. Auf der anderen Seite hat es der SPD nichts genützt, daß sie sich einer – allerdings zunächst zu weit gehenden – Grundgesetzänderung lange widersetzt hat.

Im Ergebnis konnte kein Zeitungsleser und erst recht kein Fernsehzuschauer klug daraus werden, was die einen und was die anderen in der Sache wirklich wollten. Die tatsächlichen Absichten beider Volksparteien waren lange Zeit nicht zu erkennen, beide blieben lange Zeit «profillos». Aber zwei Dinge verstand das Volk sehr gut. Zum einen: Weil schon für die hier Lebenden nicht genug Arbeitsplätze und nicht genug Wohnraum vorhanden waren, mußte die Zuwanderung eingeschränkt werden. Zum anderen: Die Parteien taktierten, und die Regierung handelte nicht zureichend, obgleich dies durchaus auch im Rahmen der bestehenden Gesetze möglich gewesen wäre.

Als Ludwig Erhard zu Beginn der sechziger Jahre viele ausländische Gastarbeiter in die Bundesrepublik einlud, hatten wir keine Arbeitslosigkeit, sondern viele offene Stellen. Die Gastarbeiter nahmen keinem Deutschen seinen Arbeitsplatz, sie lebten auch nicht vom Geld des Steuerzahlers; sie arbeiteten fleißig, verdienten gut, schickten ihre Kinder auf deutsche Schulen, paßten sich an und fügten sich bereitwillig ein – auch wenn sie Spanier, Türken, Italiener oder Griechen bleiben wollten. Es gab kaum eine Feindseligkeit der Deutschen gegen ihre neuen Mitbürger aus dem Ausland.

Heute ist die Lage dagegen prekär. In den Großstädten haben wir einen immer noch steigenden Ausländeranteil: in

Hamburg 15 Prozent, in Köln fast 20 Prozent, in München über 20 Prozent, in Frankfurt um 30 Prozent. In allen Großstädten gibt es außerdem die Tendenz zur Gettobildung, das heißt zur Konzentration der Ausländer in bestimmten Stadtteilen; die dort seit langem ansässigen Deutschen fühlen sich vielfach in Bedrängnis. Manche Jugendliche lassen sich zu Gewaltakten gegen Ausländer verführen, weil ihnen die Ausländer als eigentliche Ursache ihrer Angst um einen Arbeitsplatz erscheinen.

Dann gibt es das Problem der in ihrer türkischen Heimat weitgehend unterdrückten Kurden (gut ein Zehntel der Einwohner der Türkei sind Kurden, außerdem zwei Zehntel der Einwohner des Irak). Auf deutschem Boden setzen sie ihren Kampf gegen die Türken fort; wir Deutschen können zwischen beiden nicht unterscheiden (beide haben ja auch denselben Paß) und buchen alles auf das allgemeine Konto «Ausländerkriminalität». In Wahrheit erleben wir eine Ausdehnung des nationalen Konfliktes zwischen Türken und Kurden auf unser Staatsgebiet.

Es gibt tatsächlich eine erhebliche Kriminalität unter den nach Deutschland einreisenden Ausländern. Durch eine ausländerfeindliche Haltung oder gar durch Übergriffe auf Ausländer wird die Lage jedoch nicht besser, sondern sehr viel schlimmer – besonders wenn dabei Neo-Nazi-Parolen und Quasi-Nazi-Uniformen im Spiel sind. Die Politiker insgesamt müssen begreifen: Mit politischer Rhetorik wird dem nicht abgeholfen. Wir, die Regierten, müssen begreifen: Mit Lichterketten allein auch nicht. Wer aus Angst oder aus Ärger über den Ausländerzustrom rechtsextreme Parteien wählt, kann ähnliches Unheil heraufbeschwören wie unsere Großeltern nach 1930.

Angst und Schwarzmalerei

Neben den drei großen Ängsten – Arbeitslosigkeit, Kriminalität und «Überfremdung» – steht die vierte Angst um die Erhaltung der natürlichen Umwelt und der natürlichen Lebensbedingungen des Menschen. Weil die ersten drei Ängste in den letzten Jahren gewaltig zugenommen haben, sind Besorgnis und Angst wegen der Umweltgefährdung gegenwärtig etwas in den Hintergrund getreten.

Angst vor Umweltgefahren ist heute am stärksten bei denen verbreitet, die selbst keine Angst um den Arbeitsplatz zu haben brauchen, zum Beispiel bei Beschäftigten im öffentlichen Dienst. Sie ist aber auch stark ausgeprägt bei Jugendlichen, die in wohlsituierten Elternhäusern in schönen grünen Wohngegenden aufwachsen. Gleichwohl, auch die Angst vor einer Zerstörung der natürlichen Umwelt muß ernst genommen werden, den Ursachen dieser Angst muß ebenso nachgegangen werden wie den Ursachen der vorher genannten drei wichtigsten Ängste.

Wir Deutschen sind im Laufe des letzten Vierteljahrhunderts zu Weltmeistern der Angst geworden. Zwar ist die in den siebziger Jahren vielfach verbreitete hysterische Angst um den Frieden heute weitgehend gebannt; aber sie ist durch andere Ängste ersetzt worden. Weder in Polen noch in Holland, weder in Frankreich noch in Österreich, weder in Italien noch in England gibt es einen solchen Grad an Angstbereitschaft, obgleich diese Länder zum Teil eine höhere Arbeitslosigkeit haben als wir und auch sonst mit ähnlichen Problemen konfrontiert sind. Die größere demokratische Erfahrung, die die meisten Westeuropäer uns voraushaben, läßt sie gelassener bleiben.

Vielleicht handelt es sich bei unserer deutschen Angst-Hysterie noch um eine Spätfolge der Diktatur und unserer Erlebnisse während des Zweiten Weltkrieges mitsamt seinen schrecklichen Folgen. Vielleicht spielt auch die Sucht unserer Fernsehredakteure eine Rolle, uns jeden Abend möglichst viele Katastrophen in die Wohnstuben zu liefern. Was auch immer die Ursachen unserer besonderen deutschen Angstbereitschaft sein mögen, es wird allerhöchste Zeit, daß wir uns diese Angstbereitschaft bewußtmachen und ihr entschieden entgegentreten. Es hilft gar nichts, wenn wir die Schuld auf die Politiker schieben; denn was auch immer ihre Verfehlungen sein mögen, wir selbst sind verantwortlich für unsere übertriebenen Ängste.

Bisweilen treffe ich Menschen, denen es zur Manie geworden ist, die Lage in Deutschland schwarz in schwarz zu malen. Manche propagieren geradezu ihre Verdrossenheit über die Politiker und ihre Parteien und sind befriedigt, wenn es ihnen wieder einmal gelungen ist, andere anzustecken. Neben berechtigten Sorgen und Nöten gibt es nämlich eine böse Lust am politischen Verdruß. Sie hat gefährlich weit um sich gegriffen. Es ist die perverse Lust am Verfall.

Es ist wahr: Wir haben große Probleme, sie stellen uns vor große Aufgaben und verlangen große Anstrengungen. Es ist wahr: Wir sind tief enttäuscht worden. Den Deutschen im Osten hatte die Bundesregierung für dieses Jahr wirtschaftlich «blühende Landschaften» versprochen, aber das Gegenteil ist eingetreten. Den Deutschen im Westen war versichert worden, die Vereinigung werde sie keine Opfer kosten, aber das Gegenteil ist eingetreten.

Den 16 Millionen Deutschen im Osten, die im fälschlich so genannten realen Sozialismus zu leben gezwungen waren, wurde über vierzig Jahre die Freiheit vorenthalten – genaugenommen seit 1933, insgesamt also länger als ein halbes Jahrhundert. Weil aber seit 1949 ihr Lebensstandard stetig gestiegen ist – wenn auch äußerst langsam – und weil ihre wirtschaftliche und soziale Sicherheit gewährleistet war – wenn auch auf einem sehr niedrigen Niveau –, konnten viele die ihnen aufgezwungene Unfreiheit lange Zeit ertragen, ohne zu verzweifeln. Viele konnten sich ihre Hoffnung auf die Freiheit erhalten und waren stark genug, das Joch der Kommunisten abzuschütteln und die Mauer zu überwinden, als sich die Gelegenheit dazu ergab. Heute, nach vier Jahren der wirtschaftlichen Enttäuschungen, reichen bei manchen von ihnen die seelischen Kräfte nicht mehr aus. Für ihre Enttäuschung machen viele die Politiker der Bonner Parteien verantwortlich und wählen deshalb die Partei des Demokratischen Sozialismus (PDS). Dabei ist den meisten PDS-Wählern klar, daß diese von alten Kommunisten geführte Partei nicht fähig ist, die wirtschaftlichen Notstände im Osten Deutschlands zu beheben; ihre Stimmen für die PDS sind Stimmen des Protestes und der Nostalgie.

Wer will ihnen einen Vorwurf daraus machen? Auch in Polen und anderen ehemaligen «Volksdemokratien» reagieren viele enttäuschte Menschen auf ähnliche Weise. Wer protestiert, indem er eine zum demokratischen Regieren nicht befähigte Partei wählt, der hofft – vielleicht nur unbewußt –, sein Protest werde die anderen Parteien ermahnen und antreiben, nach besseren Wegen zu suchen. Was aber, wenn die Stimmenzersplitterung die erfahrenen demokratischen Parteien so weit schwächt, daß sie gar keine handlungsfähige Regierungsmehrheit mehr bilden

können? Wenn wir auf eine Straße geraten, ähnlich derjeni-
gen von 1930?

Die Deutschen im Westen haben Hitlers Krieg genauso
verloren wie die Deutschen im Osten. Aber die Westdeutschen haben unter den politischen und wirtschaftlichen Folgen des Krieges nicht entfernt in gleicher Weise leiden müssen. Sie konnten vierzig Jahre lang die schnell reifenden
Früchte ihrer Arbeit genießen; sie konnten eine international
hervorragende Marktwirtschaft aufbauen, desgleichen ein
gut funktionierendes Netz sozialer Sicherheit. Schon dreißig
Jahre nach Gründung ihres 60-Millionen-Teilstaates lag der
Lebensstandard der Westdeutschen weltweit mit an der
Spitze. Aber mehr noch: Mit westalliierter Hilfe haben die
Deutschen im Westen auch eine funktionstüchtige, zuverlässige Demokratie aufbauen können, die zweimal – 1969 und
1982 – einen grundsätzlichen Wechsel der Regierungspolitik
ermöglicht hat und darüber hinaus zahlreiche gesellschaftliche Erneuerungen und staatliche Reformen. Sie hatten
Grund zur Befriedigung, Grund sogar, auf das «Modell
Deutschland» stolz zu sein. Sie haben jedoch keinerlei Grund
zur Überheblichkeit gegen ihre ostdeutschen Landsleute, die
unter Moskauer Oberherrschaft leben und arbeiten mußten.

Seit die lange vergeblich erstrebte politische Vereinigung
der beiden deutschen Teilstaaten Opfer von ihnen verlangt,
ergeben sich viele Westdeutsche dem Jammern und dem Klagen. Jetzt, da ihnen die erste große Bewährungsprobe auferlegt ist, geraten viele von ihnen in Resignation, ja zum Teil
sogar in Panik. Welch ein Trauerspiel!

Schon suchen manche Westdeutschen ihre politische Zuflucht bei den wie Pilze aus dem Boden schießenden neuen
kleinen Parteien. Aber es wird ihnen nichts nützen, ihre Sor-

gen werden auf diese Weise nicht behoben werden. Die westdeutschen Wähler müssen sich vielmehr fragen, ob das einmalige Abreagieren ihres Zornes auf die Politiker es wert ist, die vier Jahre des neuen Bundestages ohne eine entscheidungsfähige Regierung und ohne einen klaren Kurs auskommen zu müssen.

Die Bonner Politiker müssen sich für vieles verantworten, was uns beschwert oder mißfällt, für viele Unterlassungen auch, und besonders für ihren Mangel an Wahrheitsliebe und Zivilcourage. Aber Hand aufs Herz: sind wir nicht ebenso unzufrieden mit den Chefs unserer Unternehmungen? Unser Vertrauen in die Arbeit der Gewerkschaften hat seit dem Skandalfall Neue Heimat stark nachgelassen. Wir zweifeln mehr denn je am Wert der Erziehung an unseren Schulen und Universitäten. Ostdeutsche ärgern sich über die «Kolonialisierung» durch die Wessis und über deren vielfältige Besserwisserei. Westdeutsche ärgern sich über die Weinerlichkeit der Ossis. Uns allen wird die Brüsseler Bürokratie immer unheimlicher, und wir haben begonnen, an Sinn und Ziel der Europäischen Union zu zweifeln. Gemeinsam haben wir heute mehr Besorgnisse hinsichtlich unserer Zukunft als in all den Jahren zuvor.

Könnte es nicht sein, daß wir wieder einmal der alten deutschen Schwäche erlegen sind: himmelhoch jauchzend, zu Tode betrübt, um dann womöglich Zuflucht zu suchen bei Ideologen, Romantikern, Vereinfachern, Schmalspurdenkern und Volksverführern? Gewiß haben wir gute Gründe, mit manchen Einrichtungen und manchen der an ihrer Spitze stehenden Personen unzufrieden zu sein. Aber haben wir nicht auch Grund, die Fehler bei uns selbst zu suchen?

Angst hat immer eine Ursache. Ein Politiker wäre
schlecht beraten, wenn er sich von Angstgefühlen leiten
ließe. Vielmehr kommt es darauf an, die Ursachen zu erkennen, sie ernst zu nehmen – und sodann durch politisches
Handeln zu überwinden. Nur angstfreie Politik ist mündige
Politik.

Vorwürfe auch an die Unternehmer

Wenn wir sehen, daß die Arbeitslosigkeit immer noch
steigt; daß im Westen der reale Lebensstandard der Arbeitnehmer inzwischen auf den Stand der späten achtziger Jahre
zurückfällt; daß dies auch den Rentnern droht; daß die neue
Pflegeversicherung nur laufen kann, sofern wir selbst sie
bezahlen; daß der wirtschaftliche Aufbau im Osten
Deutschlands noch lange Jahre brauchen wird – wenn wir all
diese leidvollen Wahrheiten bedenken, dann sind wir geneigt, auch den deutschen Unternehmern ein gut Teil der
Schuld zuzuschieben. Und in der Tat: es ist an der Zeit, daß
sie sich ihrer Fehler bewußt werden.

Keiner ihrer drei großen Spitzenverbände, weder der
Bundesverband der Deutschen Industrie (BDI) noch die Ar-
beitgebervereinigung (BDA) noch der Deutsche Industrie-
und Handelstag (DIHT), hat laut und deutlich abgeraten
oder gar bessere Wege aufgezeigt, als die Bundesregierung
bei der wirtschaftlichen Vereinigung der beiden deutschen
Teilstaaten einen kardinalen Fehler nach dem anderen
machte. Im Gegenteil: Die Spitzen der Unternehmerschaft
sind genau wie die Gewerkschaften auf die Parole hereinge-
fallen, bis 1994 die Löhne im Osten auf West-Niveau anzu-

heben. Sie sind deshalb gemeinsam dafür verantwortlich, daß ostdeutsche Unternehmen, welche diese Löhne nicht zahlen konnten, zu zusätzlichen Entlassungen gezwungen und sogar in den Konkurs (genannt Abwicklung) getrieben wurden. Dabei spielte leider das kurzsichtige Eigeninteresse eine wichtige Rolle, nämlich der Wunsch, sich in den östlichen Bundesländern eine Billiglohnkonkurrenz vom Leib zu halten.

Ein anderes weites Feld unternehmerischen Versagens, genauer: unternehmerischer Versäumnisse, ist seit 1992 durch die wirtschaftliche Rezession in Deutschland aufgedeckt worden. In vielen industriellen Sektoren haben wir unsere Führungsposition am Weltmarkt eingebüßt. Indem wir seit Jahr und Tag ein Viertel bis ein Drittel des gesamten Sozialproduktes exportierten, haben wir unsere luxuriösen Güterimporte und unsere Urlaubsreisen ins Ausland bezahlt; davon hing zum guten Teil unser im internationalen Vergleich hoher Lebensstandard ab. Er wird auch morgen davon abhängen. Aber im Laufe der letzten fünfzehn Jahre haben nicht nur Taiwan-, Hongkong- und Shanghai-Chinesen gelernt, Produkte in deutscher Qualität bei deutlich niedrigeren Kosten herzustellen und infolgedessen zu niedrigeren Preisen auf dem Weltmarkt anzubieten – die Japaner können dies schon seit fünfundzwanzig Jahren –, sondern inzwischen haben auch viele andere ausländische Industrien dies geschafft – bis hin zu Kohle und Stahl. Im östlichen Mitteleuropa werden heute zum Beispiel erstklassige Maschinen und Fahrzeuge produziert.

Obgleich Konrad Zuse, einer der ersten Computererfinder, ein Deutscher ist, haben wir den Markt für Computer schon lange an Japaner und Amerikaner verloren. Beispiel-

haft ist die Faxtechnik: in Deutschland entwickelt, wurde
ihre Vermarktung verschlafen. Ähnliches gilt für Halbleiter
und für die Mikroelektronik. Unsere Industrie hat es mit
einer doppelten Konkurrenz zu tun: einerseits den Staaten,
die Hochtechnologie liefern, andererseits den Niedriglohnländern. Einen Mittelklassewagen von der Qualität eines
deutschen Ford, Opel oder VW kann man auch in Mexiko
oder in der Tschechischen Republik bauen – aber zu niedrigeren Kosten und Verkaufspreisen (neuerdings können
Mercedes und BMW sogar in den USA zu günstigeren Kosten produzieren als bei uns zu Hause).

Wir haben dies alles vorher schon mindestens zweimal
erlebt, nämlich im Schiffbau und in der Textilindustrie.
Aber viele unserer Unternehmer haben daraus nicht rechtzeitig gelernt. Sie hätten lernen müssen, daß wir neue Erfin-
dungen und neue Produkte auf die Märkte der Welt bringen
müssen – die die anderen einstweilen noch nicht anbieten
können. Statt dessen sind unsere Unternehmer, konservativ
und sogar ein wenig bieder, bei den alten Produkten geblieben und haben sich darauf konzentriert, von Jahr zu Jahr
deren Qualität etwas zu verbessern. Andere deutsche Unternehmen haben sich ausländische Unternehmen dazuge-
kauft und mit Hilfe dieser Konzerntöchter versucht, ihre
Anteile im Weltmarkt zu halten oder zu vergrößern. Beides
war nicht prinzipiell verkehrt; aber alles, was nicht auf neue
Produkte hinauslief, diente weder der Sicherung deutscher
Arbeitsplätze noch der Sicherung der hohen deutschen
Löhne und der hohen deutschen Sozialleistungen.

Es gibt interessante Gegenbeispiele, etwa den europäischen Airbus. Die Airbus-Familie verfügt inzwischen über
das zweitwichtigste Angebot auf dem Weltmarkt für große

Passagierflugzeuge; sie hat in Deutschland die Erhaltung, den Ausbau und die Neuschaffung vieler Betriebe und Arbeitsplätze ermöglicht. Allerdings hätten die ursprünglich beteiligten privaten Unternehmer allein dieses Ergebnis nicht zustande gebracht. Vielmehr hat der Staat (die sozialliberalen Bundesregierungen) die nötige ideelle und finanzielle Hilfe geleistet. Das nächste Beispiel könnte der Transrapid werden – *wenn* der Bundestag tatsächlich zustimmt, im eigenen Land eine wichtige, längere Strecke dafür zu bauen. Solange die Deutschen ein so teures, neues Investitionsgut nicht selber benutzen, bleibt es schwierig, den Transrapid Verkehrsunternehmen oder Regierungen anderer Staaten zu verkaufen. Ähnliche Erfahrungen haben wir beim Export deutscher Kernkrafttechnik gemacht.

Insgesamt haben viele deutsche Unternehmen die Zeichen der Zeit nicht rechtzeitig verstanden. Erst als die Rezession ihren Absatz sowohl in Deutschland als auch im europäischen Ausland schrumpfen ließ, als zusätzlich die harte Geldpolitik der Bundesbank zur Aufwertung der DM gegenüber den meisten ausländischen Währungen führte und damit für das Ausland die in DM zu zahlenden Preise für deutsche Produkte zusätzlich verteuerte, erst da fingen viele Unternehmen an, sich wieder auf den für unseren hohen Lebensstandard dringend nötigen Zusammenhang von Forschung, Erfindung, Produktentwicklung, Produktion und Vermarktung zu konzentrieren. Forschung, Erfindung und Entwicklung müssen am Anfang stehen. Aber dafür bedarf es des unternehmerischen und erfinderischen Instinkts und des Wagemutes. Allzu viele Unternehmensleiter sind bloß tüchtige Manager, das heißt Verwalter – allzu wenige sind *wirkliche* Unternehmer.

So ist also die Kritik an unserer unternehmerischen Klasse durchaus gerechtfertigt. Aber wozu haben wir, wird manch einer fragen, Betriebsverfassung und Mitbestimmung in den Unternehmen? Was war und ist denn die Rolle unserer Belegschaftsvertreter in den Aufsichtsräten der Industrie, unserer Betriebsräte und Gewerkschaften? Sind sie nicht in vielen Fällen noch konservativer als ihre Betriebs- oder Unternehmensleitung? Ist es nicht wahr, daß sich die Betriebsräte nur allzuoft Neuerungen widersetzen? Wer allein die Vorstände der Unternehmungen anklagen möchte, die in Schwierigkeiten geraten sind, sollte auch dies bedenken: Die Vorstände werden in aller Regel von den Aktionären und den Eigentümern berufen, die Betriebsräte aber werden von der ganzen Belegschaft gewählt. Haben wir nicht bisweilen Grund, uns auch an die eigene Nase zu fassen?

Dies tut keiner gern, schon gar nicht die Bundesregierung. Vielmehr möchte sie unsere wirtschaftliche Misere als Folge einer von ihr erfundenen Weltwirtschaftsdepression erklären. Tatsächlich gibt es heute zwar in den Staaten der früheren Sowjetunion und fast überall im Osten Europas einen zur Depression führenden Zusammenbruch der Wirtschaftsstruktur; aber unser Export in diese Staaten war immer geringfügig – lediglich die ostdeutsche Industrie hatte einen größeren Anteil. Die Depression im Osten hat deshalb auf die westdeutschen Beschäftigungszahlen kaum einen nennenswerten Einfluß. Zwar gibt es heute eine Rezession in Japan, als Folge des Zusammenbruchs des ballonhaft aufgeblasenen Aktien- und Grundstücksmarktes; aber auch die japanische Rezession hat nur außerordentlich geringen Einfluß auf uns, denn unser Export nach Japan war immer (sträflich) klein, und der Zufluß japanischen Kapitals nach Europa ist so groß wie eh und je. Zwar hat es – aus ähnlichen Gründen wie in Japan – auch in den USA eine Rezession gegeben; aber diese war zu Beginn des Jahres bereits überwunden. 1994 befindet sich die Wirtschaft der USA längst wieder im Boom. Auch in China, in Ostasien (außer Japan) und Südostasien kann von Rezession keine Rede sein, auch nicht in Mexiko und anderen Teilen Lateinamerikas. Das Bonner Gerede von einer allgemeinen *Welt*rezession oder gar -depression ist gefährliche Nebelwerferei. In Wahrheit haben wir unsere Rezession selbst zu verantworten.

Für Deutschland ist allenfalls der Umstand bedeutsam, daß es in manchen Staaten der Europäischen Union und der Europäischen Freihandelszone eine Rezession gibt – aber diese ist weitgehend von Deutschland (und von der Bundesbank) ausgelöst worden. Die deutsche Wirtschaftsrezession geht weitaus tiefer als diejenige aller anderen Staaten der Europäischen Union. Die Schuldzuweisung aus Bonn fällt auf Deutschland selbst zurück.

Die deutsche Rezession und ganz besonders die hohe Arbeitslosigkeit im Osten unseres Landes sind weit überwiegend hausgemacht. 1990 und 1991 konnte die Bundesregierung die katastrophalen Folgen ihrer fehlerhaften Vereinigungspolitik und die daraus resultierende Vereinigungskrise noch durch eine gewaltige Steigerung der finanziellen Transfers in Richtung Ostdeutschland überdecken, das heißt durch konsumorientierte Staatsausgaben. Die Transfers (Geldüberweisungen) wurden durch eine gewaltige Steigerung der Defizite, das heißt durch Kreditaufnahmen der öffentlichen Hände finanziert.

Heute verbraucht der Staat (die öffentlichen Hände insgesamt) jedes Jahr fast drei Viertel der privaten Ersparnisbildung der Westdeutschen. Von 1991 bis 1994 einschließlich sind die öffentlichen Schulden verdoppelt worden, ebenso die öffentlichen Zinszahlungen pro Kopf der Einwohner unseres Landes. Eine weitere Steigerung erscheint finanzpolitisch nicht verantwortbar. Schon heute sind die enormen Kreditaufnahmen nur noch deshalb möglich, weil wir – immer noch einer der reichsten Industriestaaten der Welt – seit 1991 eine Netto-Kapitalimport-Volkswirtschaft geworden sind, mit anderen Worten: weil wir in hohem Maße von Ersparnissen des Auslands leben. Das bedeutet auch, daß wir in hohem Maße vom Vertrauen des Auslands abhängig sind.

Wenn wir von Zeit zu Zeit die Zahlen über unsere öffentliche Verschuldung lesen, wenn wir hören, daß nach der Bundestagswahl, gegen Ende des Jahres 1994, auf jeden Einwohner der Bundesrepublik – ob jung oder alt – etwa 30000 DM öffentliche Schulden entfallen werden, dann sind die meisten erschreckt – durchaus zu Recht. Jedermann versteht, daß die Krise der öffentlichen Finanzen zusammen mit der Vereinigungskrise, der Strukturkrise großer Teile unserer Industrie, der tiefen Rezession und der hohen Arbeitslosigkeit ein Geflecht ineinander verwobener schwerster Probleme darstellt, das von der neuen Bundesregierung aufgelöst und bewältigt werden muß. Aber wir zögern, ob wir den politischen Parteien und ihren Führungspersönlichkeiten dies zutrauen können. Wir befinden uns mitten in einer allgemeinen Vertrauenskrise.

Schlechte Erziehung durch das Fernsehen

Die allgemeine Vertrauenskrise hat auch unsere Erziehungs- und Bildungssysteme erfaßt. Jedermann weiß, daß unsere Studenten im Durchschnitt zu lange studieren und den Steuerzahler viel zu lange Geld kosten. Dies ist nur zum geringsten Teil den Studenten anzulasten. Daß die Ursachen für den Mißstand vielfältig sind, daß sie zum Teil in der weitgehenden Unfähigkeit der Universitäten zu effizienter Selbstorganisation, zum Teil in staatlich-bürokratischer Gängelung liegen, wird von den wenigsten Menschen außerhalb der Universitäten erkannt. Zwar hat das Grundgesetz die Kulturhoheit den Ländern zugewiesen; aber Landtage und Landesregierungen haben ihre Zuständigkeiten an die anonyme Bürokratie einer Kultusministerkonferenz oder direkt an den Bund abgegeben (Beispiel BAFöG). Niemand kann dieses Gewirr von Verantwortlichkeiten und Verantwortungslosigkeiten voll durchschauen. Allgemeine Unzufriedenheit ist die Folge.

Auch unsere allgemeinbildenden Schulen unterliegen mannigfacher Kritik. Es gibt immer noch einige Lehrer, die, von der 68er Studentengeneration geprägt, nach wie vor glauben, ihre Schüler «antiautoritär» erziehen zu sollen; jedwede Autorität soll nicht nur «hinterfragt», sondern geradezu negiert werden. Jüngst schrieb mir jemand aus einem Universitätsinstitut für Schule und Bildungsorganisation allen Ernstes: «Normen und Werte veralten schneller, als wir sie vermitteln können... Jeder Schüler kann nur für sich allein werten.» Ich habe geantwortet, selbstverständlich müsse die Schule zur Autorität der aus der Humanitas fließenden sittlichen Gebote und zur Ablehnung von

Verbrechen erziehen, selbstverständlich sei sie verpflichtet, die Schüler zur Anerkennung der Autorität des Grundgesetzes zu führen.

Die heutigen Pädagogikstudenten werden mit vielerlei Theorie vollgestopft. Mancher, der erst vor der Schulklasse merkt, daß seine theoretisch gewonnenen Vorstellungen ganz abwegig sind oder daß er eigentlich zum Lehrberuf nicht besonders geeignet ist, bleibt gleichwohl dabei, resigniert und wird zum bloßen Stundengeber.

Unsere Schulen sind mitverantwortlich für die Gewaltbereitschaft eines Teils der heutigen Kinder und Jugendlichen, wenn sie sich auf den Stoff beschränken, den die Lehrpläne vorgeben. Lehrer müssen vielmehr versuchen, im mitmenschlichen Verhalten gegenüber ihren Schülern selbst Vorbild zu sein – und manche sind es gottlob auch.

Ein viel größerer Teil der Verantwortung entfällt jedoch nicht auf die Schulen, sondern auf das Fernsehen und auf die Videoindustrie. Unsere Kinder und Jugendlichen hocken im Schnitt mehr als drei Stunden täglich vor dem Bildschirm. Die Zahl der Morde und anderer Gewalttaten, die ihnen dabei präsentiert werden, geht in die Tausende. Manchen wird auf diese Weise suggeriert, Gewalt sei ein normales Element einer normalen Gesellschaft. Es ist kein Wunder, wenn es zu Gewalttaten zwischen Schülern kommt oder zu jugendlichen Gewalttaten gegen Ausländer.

Wenn wir davon hören oder lesen, sind wir entsetzt. Manche reden von einem allgemeinen Verfall der Sitten oder vom Werteverfall. Einige haben bereits den endgültigen Niedergang der Gesellschaft vor Augen. Andere reden und predigen dagegen an. Abermals Hand aufs Herz: tragen wir nicht selbst eine große Mitschuld? Haben nicht viele

Eltern längst ein zweites Fernsehgerät angeschafft, damit ihre Kinder die eigenen Kanäle einschalten und die eigenen Programme verfolgen können? Wie oft und wie lange reden oder spielen wir mit ihnen? Haben wir nicht längst einen großen Teil unserer Erziehungsaufgabe an das Fernsehen, an die Video- und Computerspieleindustrie abgetreten? Mit welchem Recht jammern wir eigentlich über jugendliche Verrohung? Was eigentlich tun wir dagegen? Sind verantwortungsbewußte Eltern nicht eine kleine Minderheit von Idealisten, eine viel zu kleine Minderheit?

Es ist nur natürlich, wenn Jugendliche in Opposition stehen zu den Einrichtungen, die sie vorfinden, zu Eltern, Schule, Polizei. Weil nach dem Zusammenbruch der Diktaturen im Osten Europas deren sich «real existierender Sozialismus» nennender Kommunismus mit Recht als Verirrung angesehen wird, haben Kommunismus und Sozialismus als Ideologien gegenwärtig wenig Anziehungskraft für junge Leute. Denjenigen, die nach politischem Ausdruck für ihre Opposition suchen, ist der Ausweg an den äußersten linken Rand deshalb versperrt. Restbestände linksextremer jugendlicher Flüchtlinge aus der demokratischen Ordnung wie zum Beispiel die «Autonomen», die Bewohner der Hamburger Hafenstraße oder die terroristische «Rote Armee Fraktion» (RAF) haben heute weder neuen Zulauf, noch haben sie eine Zukunft. Sie werden nur noch von einigen Angehörigen der inzwischen längst erwachsen gewordenen APO-Generation mit sentimentalem Wohlwollen begleitet – und zum Teil auch beschützt. Von ihnen geht im Augenblick keine größere Gefahr für unsere demokratische Gesellschaft aus.

Große Gefahren gehen jedoch von denjenigen Jugendlichen aus, die den Weg nach rechtsaußen einschlagen. Die widerwärtigen, gewalttätigen Skinheads sind nur Vorläufer – weit Schlimmeres mag folgen, wenn wir der Jugendarbeitslosigkeit nicht Herr werden, wenn wir allein dem Staat und seinen Einrichtungen den Versuch überlassen, dem Leben der Jugendlichen Sinn und Halt zu geben, wenn wir, die Bürgerinnen und Bürger dieses Staates, unsere Erziehungsaufgaben weiterhin vernachlässigen.

Erziehung zum demokratischen Bürger, das ist nicht bloß die abstrakte Darstellung von Grundgesetz und Recht, sondern das ist persönliche Zuwendung, gemeinsames Tun, Rede und Antwort, Gespräch und Kritik. Mit allgemeinem Klagen über die schlechten Zeiten, über den Verfall der Werte – «Früher ist alles besser gewesen» – wird niemand zum kompromißfähigen Demokraten erzogen – weder in der Familie noch in der Schule, weder in der Lehre noch im Betrieb. Die Bischöfe und Pfarrer, die Schulen und Universitäten, die Betriebsräte und Gewerkschaften, vor allem aber die großen politischen Parteien, sie alle müssen sich fragen, woran es liegt, daß sie mit ihren Botschaften junge Menschen vielfach nicht mehr erreichen. Denn sie alle sind mitschuldig an der um sich greifenden Orientierungslosigkeit.

Es gibt allerdings große Ausnahmen. So ist Richard von Weizsäcker nach Theodor Heuss und Gustav Heinemann der dritte Bundespräsident, der zugleich ein großer Volkserzieher ist; aus der Schar der gegenwärtigen Politiker ragt er einsam hervor.

Die Mehrzahl der führenden Politiker hingegen begreift nicht, wie sehr sie zur Desorientierung, ja zum Überdruß und zur Politikverdrossenheit beitragen. Sie verstehen nicht, daß ihre tägliche Herabsetzung des Gegners, ihr Mangel an Zielklarheit und Tatkraft, ihre vielen Skandale und Skandälchen, ihr taktischer Politikbetrieb manch einen sich abwenden läßt. Wir anderen aber wollen uns gemeinsam aufraffen, denn es ist wahr: Wir haben die Politiker, die wir verdienen.

Was trauen wir den Parteien zu?

Unsere Politikverdrossenheit, unser skeptisches, ja pessimistisches Urteil über die Fähigkeiten unserer Politiker kann zur Vorstufe großer politischer Umwälzungen in Deutschland werden, *wenn* wir uns an den Wahlen nicht mehr beteiligen; *wenn* wir unsere Stimmen extremen Parteien oder bloßen Protestparteien geben; *wenn* infolgedessen unsere Regierungen in Bund und Ländern sich bald nur noch auf eine Minderheit der wahlberechtigten Bürger stützen und berufen können.

Die beiden großen, mitgliederstarken Volksparteien CDU/CSU und SPD, aber auch die F.D.P., haben es sich angewöhnt, sowohl bei wichtigen Programm- und Personalentscheidungen als auch im laufenden politischen Geschäft wenig Rücksicht auf ihre Parteimitglieder zu nehmen. Viele ihrer Funktionäre sind sich selbst genug. Zwar haben beide Volksparteien viele hunderttausend Mitglieder, die in die Partei eingetreten sind, um sich politisch zu engagieren; aber diese haben keine Möglichkeiten, an wichtigen Entscheidungen mitzuwirken. Zwar können sie im Ortsverein ihr Wort machen, aber der Ortsverein entsendet nur einige wenige Delegierte zum Kreisverband, der seinerseits einige wenige Delegierte zum Bezirks- oder zum Landesverband

schickt; im Landesverband handelt es sich dann schon zu
großen Teilen um Parlamentsabgeordnete und Berufspolitiker. Ein Parteitag der Bundespartei, aus den Delegierten der
Landesverbände zusammengesetzt, besteht heute überwiegend aus Berufspolitikern. Infolgedessen kommen interessante Vorschläge, ungewöhnliche Ideen oder auch scharfe
Kritik von Mitgliedern des Ortsvereins auf einem Bundes-
parteitag kaum jemals unverfälscht zur Sprache.

Die Berufspolitiker unter sich entscheiden weitgehend
auch über die Plazierung von Kandidaten auf den Listen;
lediglich bei der Aufstellung von Kandidaten in den einzelnen
Wahlkreisen, den sogenannten Direktkandidaten, trifft der
jeweilige Kreisverband die Entscheidung. Die Bundestagsabgeordneten werden aber zur Hälfte über Listen gewählt, auf
die das einfache Parteimitglied keinen Einfluß hat. Wenn
diese über eine Landesliste gewählten Abgeordneten von ihrer «Basis» sprechen, meinen sie weder die Wähler noch die
Parteimitglieder, sondern vielmehr jene Körperschaft von
Parteifunktionären, denen sie ihren Platz auf der Liste verdanken. (In einigen Landtagen gibt es überhaupt keine Wahl-
kreis-, sondern ausschließlich Listenabgeordnete.)

Wenn die Parteimitglieder so wenig Einfluß haben, muß
man sich weder über ihre eigene Verärgerung in Zeiten allgemeiner politischer Unzufriedenheit wundern noch darüber,
daß die Mitgliederzahlen stetig abnehmen. Und der Wähler?
Er hat überhaupt keinen Einfluß auf die Kandidatenaufstel-
lung und die Listenplazierung. Es wäre daher nicht überra-
schend, wenn demnächst möglicherweise ein Drittel der
Wähler gar nicht zur Wahl geht und von denen, die wählen,
bis zu einem Drittel ihre Stimmen den extremen Protestparteien geben.

Unter den Protestparteien finden wir ganz links am äußeren Rand die PDS, die von alten Kommunisten geleitet wird. Naturgemäß hat sie ihre Bastionen in den Ländern der ehemaligen DDR, wo neben vielen tief Enttäuschten auch frühere Nutznießer der kommunistischen Diktatur zur PDS neigen. Bei den Kommunalwahlen in Brandenburg im Dezember 1993 errang sie über 20 Prozent. Den westdeutschen Wählern dagegen erscheint die PDS substanzlos; sie hat deshalb im Westen der Bundesrepublik nur eine geringe Chance bei der Bundestagswahl 1994. Wenn sie allerdings in mindestens drei Wahlkreisen ein Direktmandat erobert, würde sie damit die Fünfprozenthürde des Bundeswahlgesetzes überspringen und deshalb erneut in den Bundestag gelangen. Sie könnte sogar im vereinigten Deutschland die Fünfprozentgrenze überschreiten. Aber regierungsfähig ist die PDS nicht.

Das Bündnis 90/Die Grünen steht ebenfalls links. Aber die extremen Elemente in dieser Partei spielen heute eine geringere Rolle, als dies bei den Grünen der alten Bundesrepublik vor der Vereinigung noch der Fall gewesen ist; damals lagen sich sogenannte Fundamentalisten und sogenannte Realos lautstark und öffentlich in den Haaren. Aber auch heute gibt es dort noch viele Utopisten und närrische Idealisten, denen die Aufstellung radikaler Forderungen wichtiger ist als wirkliche Politik. Die realistischen Exponenten der Grünen, wie zum Beispiel Joschka Fischer, Antje Vollmer oder Daniel Cohn-Bendit, müssen immer noch Zugeständnisse an ihre ökologischen und sozialistischen Radikalen machen. Ihre Regierungsbeteiligung in einigen Bundesländern kann die Grünen zu größerem Realismus führen. Auch bei der Hamburger Bürgerschaftswahl 1993

war in ihren Reihen mehr Realismus zu beobachten als
noch bei der voraufgegangenen Wahl. Jedoch waren ihnen,
die sich in Hamburg Grüne/Alternative Liste (GAL) nennen, im Ergebnis wirtschafts- und beschäftigungsfeindliche
Programmpunkte wichtiger als die Behebung unmittelba-
rer, konkreter Sorgen der meisten Menschen in der Stadt –
in weiteren vier Jahren mag das besser werden.

Im Bundesgebiet insgesamt hat das Bündnis 90/Die
Grünen gute Chancen, alte Scharten auszuwetzen und
1994 verstärkt in den Bundestag einzuziehen. Ihre Koali-
tions- und Regierungsfähigkeit wird entscheidend davon
abhängen, ob sie mit einem realistischen ökonomischen
Programm auftreten, das nötige Augenmaß besitzen und
bereit sind, der Behebung der Vereinigungskrise und der
Erhaltung und Neuschaffung von Arbeitsplätzen den Vorrang einzuräumen vor der Stillegung weiterer Kraftwerke
oder der Neuanlage von Radfahrwegen in westdeutschen
Großstädten.

Auch die Grünen müssen wissen, daß die prekäre Situation der öffentlichen Finanzen keinen Spielraum für ris-
kante Experimente läßt. Sie müssen sich dazu durchringen,
bei der Behebung der ökonomischen Misere positiv mitzuwirken – dies ist der entscheidende Maßstab für ihre
Koalitionsfähigkeit. Dazu kommt das Erfordernis der Zuverlässigkeit: Eine Fraktion, welche vor jeder wichtigen
Parlamentsentscheidung erst einmal ihre – ziemlich an-
archische – «Basis» befragen müßte, wäre nicht koalitions-
fähig. Die Grünen sind auf dem Wege von einer bloßen
Protestpartei zu einer unseren Staat bejahenden Partei.
Aber dieser Weg ist noch keineswegs vollendet; auf den
Feldern der Außen- und Sicherheitspolitik hängen sie im-

mer noch romantischen Vorstellungen eines deutschen
Sonderweges an, der unsere Nachbarn erschreckt.

Am äußersten rechten Rand der politischen Palette tum-
melt sich eine ganze Reihe halbnazistischer und nationalisti-
scher Parteien. Die Republikaner unter Franz Schönhuber
und die Deutsche Volksunion (DVU) des Gerhard Frey sind
schon des längeren bekannt. Daneben stehen elf weitere
rechtsextremistische Parteien und Organisationen. Ihnen
allen ist gemeinsam, daß sie – ähnlich wie Wladimir Schirinowski in Rußland – die Demokraten herabsetzen, für die
ökonomische Misere Sündenböcke ausfindig machen und
Enttäuschung und Zorn mancher Mitbürger durch außenpolitische Großmannssucht aufzufangen versuchen. Die an-
tisemitische Komponente ist – einstweilen – nur unter-
schwellig erkennbar, die ausländerfeindliche Komponente
dafür sehr viel deutlicher. Es ist durchaus vorstellbar, daß
die extreme Rechte binnen kurzem den Skinheads und anderen Gruppen, die sich mit Nazi-Symbolen ausstatten und
denen der Vorwurf, Neonazis zu sein, nicht weh tut – er
wird meist gern akzeptiert –, die ihnen einstweilen noch feh-
lende Ideologie liefert. Eine weitgehende Einigung dieser
Gruppen ist ebenfalls nicht auszuschließen.

Manch ein geängstigter oder auch nur frustrierter Mitbürger kann auf die Parolen der Rechtsextremen hereinfallen. Auch in den fünfziger Jahren haben wir rechte Flügelparteien (DP unter Seebohm, BHE unter Kraft, WAV unter
Loritz) im Bundestag erlebt, desgleichen später die NPD in
den Landtagen. Auch wenn Adenauer einige in seine Mitte-
rechts-Koalition einbezogen hat, waren sie gleichwohl nicht
regierungsfähig; ihre scharfmacherischen Sonntagsreden
und ihre Zugehörigkeit zum Kabinett haben sich ge-

genseitig ausgeschlossen. Die heutigen rechtsextremen Flügelparteien sind um nichts besser. Weil, anders als in den
fünfziger Jahren, heute bei manchen Wählern das Bewußtsein von den Verbrechen der Nazis weniger ausgeprägt ist,
ist es leider denkbar, daß die Republikaner 1994 in den Bundestag gelangen. Regierungsfähig sind sie keinesfalls.

Die Bürgerpartei («Bund freier Bürger») des Manfred
Brunner ist gleichfalls eine nationalistische Protestpartei.
Sie ficht gegen die europäische Integration Deutschlands.
Der Umstand, daß das Karlsruher Bundesverfassungsgericht Brunners Verfassungsbeschwerde gegen den Maastrichter Vertrag ernst genommen (wenn auch zur Hauptsa-
che zurückgewiesen) hat, war eine im Sinne des öffentlichen
Wohls unerwünschte Hilfe für Brunner. Regierungsfähig
ist auch Brunners Bürgerpartei nicht.

Einstweilen weniger rechts, sondern eher in der Mitte
werden im Wahljahr 1994 Protestparteien auftreten, die –
wie die Hamburger Statt Partei – mit dem Politikbetrieb von
CDU, CSU und F.D.P. unzufrieden sind, von denen sie sich
abspalten und denen sie Wählerinnen und Wähler abnehmen möchten. Mir erscheint es unwahrscheinlich, daß sie in
kurzer Zeit mit regierungsfähigen Programmen und mit
handlungsfähigen Personen auftreten; sie hoffen jedoch, die
Rolle eines Züngleins an der Waage zu spielen.

Diese Rolle war bisher die klassische Rolle der F.D.P. Sie
hat heute, nach dem offiziellen Abgang Genschers und Graf
Lambsdorffs, keine überzeugenden Personen vorzuweisen;
Klaus Kinkel bleibt blaß, er spielt eine Lückenbüßerrolle.
Der große, mitreißende Gedanke des Liberalismus, der die
Freiheitsrechte jedes einzelnen Menschen in den Mittel-
punkt rückte, einst die tragende Idee der Liberalen in Europa

und in Deutschland, ist längst in das Gedankengut der beiden großen Volksparteien eingegangen. Für die F.D.P. blieb deshalb nicht viel Eigenes – außer dem Wirtschaftsliberalismus.

Dieser hat die F.D.P. immer wieder nach dem Wirtschaftsministerium greifen lassen, seit 1972 stellt sie ohne Unterbrechung den Bundeswirtschaftsminister. Der erste, Hans Friderichs, war gut; die Namen der anderen hat man vergessen – mit der Ausnahme Lambsdorffs, der sich immer wieder dadurch in Erinnerung bringt, daß er mit markigen Worten die Wirtschaftspolitik von Regierungen öffentlich angreift, denen seine eigenen Parteifreunde als Wirtschaftsminister angehören. Auf diese Weise ist die F.D.P. nicht nur der ewige Mehrheitsbeschaffer für die jeweils die Regierung führende Volkspartei, sondern gleichzeitig auch ewige Protestpartei.

Es ist seit 1949 immer auf die beiden großen Volksparteien CDU/CSU und SPD angekommen (auch wenn es von Zeit zu Zeit in der bayerischen CSU Bestrebungen gibt, sich von der CDU abzusetzen). Sie stehen auch heute und morgen im Zentrum des politischen Kampfes um Mehrheiten. Im Bewußtsein der Deutschen sind sie die tragenden Kräfte des Parlamentarismus. Weil dies so ist, ziehen sie auch die meiste Kritik auf sich – und sie müssen Abhilfe schaffen, wenn ihnen das denn möglich ist!

Dabei spielen die Programme der Volksparteien für das Publikum eine geringe Rolle. Programme, soviel hat der Wähler längst verstanden, sind nachher, in der Regierungswirklichkeit, meist nicht mehr viel wert. Wichtiger sind die tatsächlichen ökonomischen und sozialen Verhältnisse, die die Politiker zu verantworten haben und mit denen sie sich

als Regierende konfrontiert finden. Am wichtigsten aber
sind die Führungspersonen, zumal in unserer Fernsehgesellschaft. Dabei hilft es den meisten Politikern gar nichts,
wenn sie sich vom Fernsehen dazu verleiten lassen, möglichst oft auf dem Bildschirm zu erscheinen, gar in seichten
Talk-Shows, die nur der Unterhaltung des Publikums und
nicht der politischen Information dienen.

Die Glaubwürdigkeit der Volksparteien hängt entscheidend von der Autorität ab, die ihre Führungspersonen aus-
strahlen. Ist das, was sie sagen, die Wahrheit? Ist es ihre
tatsächliche Meinung? Oder sagen sie es nur, weil sie meinen, es sei ihnen nützlich? Oder weil sie meinen, wir Zu-
schauer wollten das gern hören? Oder weil sie hoffen, es
werde dem Gegner schaden? Werden sie das, was sie heute
sagen, morgen auch tatsächlich tun? Haben sie den Mut und
die Kraft, es tatsächlich zu tun? Kann ich mich auf sie verlassen? Mit einem Wort: sind es redliche, zuverlässige und
tüchtige Leute?

Für viele der auf der politischen Bühne agierenden Frauen
und Männer fallen die Antworten des Publikums gegenwärtig nicht sehr günstig aus, insbesondere nicht für Kanzler
Kohl. Er hat übrigens allein seit Anfang 1992 elf Bundesminister verloren, zum Teil wegen kleinerer oder größerer
Skandale, zum Teil auch, weil er sie wegen ihrer Unfähigkeit
oder aus Gründen der Machtbalance auswechseln wollte
(allein der Rücktritt Genschers war frei von jedem erkenn-
baren negativen Anlaß).

Zeitungen, Zeitschriften und Fernsehen tragen dazu bei,
daß selbst kleine, allzu menschliche Verfehlungen eines Politikers nicht verborgen bleiben, sondern an die große
Glocke gehängt werden. Und wenn nichts zu finden ist,

dann müssen SED- oder Stasi-Akten dazu herhalten, einen Politiker wegen lange zurückliegender Vorgänge herabzusetzen. Die CDU/CSU und einige der ihr zugeneigten Medien wie die «Frankfurter Allgemeine» oder die «Welt» sind darin besonders geübt. Die SPD und die ihr zugeneigten Medien werden sich aber auf die Dauer leider wohl auch nicht lumpen lassen, sie werden im politischen Vorleben von Politikern der CDU/CSU herumwühlen und dort auch genug finden.

Die gegenseitige Herabsetzung von Politikern – einschließlich der Toten wie Brandt, Strauß und Wehner – bringt zwar den jeweiligen Urhebern wenig ein, trägt aber gewaltig bei zum Verdruß des Publikums an den Volksparteien. Falls die beiden großen Parteien die Wahlkämpfe des Jahres 1994 zu gegenseitigen Schmutzkampagnen verkommen lassen, werden sie beide zusätzlich an Ansehen verlieren. Und Kanzler Kohl könnte sich gefährlich täuschen: Die von seinem Amt, seiner Parteizentrale und von ihm selbst zu Beginn des Jahres 1994 begonnenen widerwärtigen Denunziationen könnten schließlich der extremen Rechten weit mehr nützen als seiner eigenen Partei.

Seit Ludwig Erhard als Wirtschaftsminister, seit Franz Josef Strauß als Finanzminister abgetreten ist, hat die CDU/CSU in Bonn keinen Politiker mit überzeugendem ökonomischen Urteil und Durchsetzungsvermögen mehr aufzuweisen. Lothar Späth in Baden-Württemberg wurde wegen einer kleinen Affäre davongejagt; Kurt Biedenkopf muß – um des vitalen Interesses der Sachsen willen und weil es seine Lebensaufgabe ist – in Dresden bleiben. So steht die CDU/CSU in Bonn auf dem heute wichtigsten Feld ohne personelle Reserven vor den Wählern. Auf dem beinahe

ebenso wichtigen Feld der Außenpolitik sieht es nur wenig
besser aus. Zwar möchte man Schäuble oder Rühe das Aus-
wärtige Amt zutrauen; aber wer könnte dann die Lücken in
der Bundestagsfraktion und auf der Hardthöhe füllen?

Die CDU/CSU hat nicht nur die Last der Verantwortung
für das Nichterreichte und das Mißlungene zu tragen, sie
bekommt auch die ganze Last der Verdrossenheit des Wäh-
lerpublikums zu spüren. Helmut Kohl selbst kann keinen
Wechselwähler mehr anziehen. Seine Partei ist wesentlich
auf diejenigen Bürgerinnen und Bürger angewiesen, die immer schon CDU/CSU gewählt haben. Der Stimmenanteil
der CDU/CSU wird deshalb im Superwahljahr 1994 abnehmen.

Für die SPD stehen die Wahlaussichten seit kurzer Zeit
deutlich besser, seit dem Wechsel der Führung von Engholm
zu Scharping. Seit 1982 hatte die SPD nacheinander vier
Kandidaten für das Amt des Kanzlers präsentiert: Vogel,
Rau, Lafontaine und Engholm. Die ersten drei blieben in
drei Bundestagswahlen ohne durchschlagenden Erfolg, der
vierte stolperte vor dem Beginn des Wahlkampfes über eine
unwahre Aussage (wenn man es genau betrachtet, hat Eng-
holms Unwahrheit niemandem geschadet außer ihm selbst).
Ministerpräsident Rudolf Scharping kam 1993 durch eine
allgemeine und geheime Befragung aller Mitglieder der SPD
an die Spitze. Dies war das erste Mal in der jüngeren Geschichte der Volksparteien, daß die Mitglieder selbst – und
nicht Funktionäre und Berufspolitiker – eine wichtige Per-
sonalentscheidung getroffen haben. Ich hoffe, daß dieses
Beispiel Schule macht – innerhalb der SPD, aber auch bei der
CDU und CSU.

Die innerparteiliche Volksabstimmung der Sozialdemo-

kratie hatte für die SPD drei Konsequenzen: Sie beendete
einen lähmenden Streit zwischen einer Frau und zwei Män-
nern als Kandidaten; sie gab der Partei neues Selbstver-
trauen; und sie verschaffte dem neuen Parteivorsitzenden
und Kanzlerkandidaten Rudolf Scharping eine große Legiti-
mität und damit ein wertvolles Startkapital.

Auf dem ökonomischen Feld kann Scharping auf den Rat
dreier tüchtiger, erprobter Finanzminister aus der Zeit der
sozialliberalen Koalition zurückgreifen (Apel, Lahnstein
und Matthöfer), die inzwischen in der privaten Unterneh-
menswirtschaft – zumal im Osten – ihre Qualitäten erneut
bewiesen haben; vor allem stehen ihm große Personalreser-
ven zur Verfügung – Sozialdemokraten, die in Banken, im
Zentralbanksystem und in Landesregierungen arbeiten, er-
probte Politiker oder politisch Engagierte. Oskar Lafontaine
ist kein studierter Ökonom, sondern von Hause aus Natur-
wissenschaftler; seine Auffassungsgabe, Beredsamkeit und
Durchsetzungsfähigkeit ähneln der von F. J. Strauß, der
auch kein gelernter Ökonom, gleichwohl aber ein guter Finanzminister war. In ähnlicher Weise kann man sich auch
Lafontaine im gleichen Amte vorstellen.

Jedoch hat auch die SPD 1994 schwere Wahlgänge vor
sich, auch sie leidet unter dem vielfach geäußerten generellen Vorwurf, die Politiker seien alle gleich, auch sie muß sich
die Frage gefallen lassen: «Sind eigentlich die alten Parteien
überhaupt noch zu gebrauchen?» So ist die Sozialdemokratie mitschuldig daran, daß uns das vom amerikanischen
Fernsehen präsentierte Somalia-Problem und die von Klaus
Kinkel (F.D.P.) präsentierte Frage einer deutschen Beteiligung an den dortigen UN-Operationen zeitweilig als wich-
tigster Gegenstand der deutschen Politik erscheinen mußte.

Kinkel brachte das absurde Kunststück fertig, im Bundeska-
binett an einem Beschluß mitzuwirken, den er zugleich vor
dem Bundesverfassungsgericht anfechten ließ. Im übrigen
ist die SPD auch mitschuldig daran, daß politische Entscheidungen im Übermaß nach Karlsruhe verlagert worden sind.

Der gravierendste Fall war der Maastrichter Vertrag.
Während in Frankreich, Dänemark und in der Schweiz das
Volk über die Europäische Union zu entscheiden hatte, während in allen übrigen Mitgliedsstaaten die Parlamente das
Wort führten, sprach im rechthaberischen Deutschland ein
hohes Gericht das letzte Wort. Es nahm sich dabei sogar
heraus, für die *zukünftige* Entwicklung Europas Regeln auf-
zustellen – eine Abdankung der demokratischen Politik!
Weil die tragenden politischen Parteien diese Entwicklung
nicht nur hinnehmen, sondern ihr durch Parteipolitisierung
der Richterwahl und durch allzu viele eigene Verfassungs-
klagen auch noch Vorschub leisten, ist es kein Wunder,
wenn auch aus diesem Grund das Ansehen des Bundestages
und der Parlamentsparteien sinkt.

Im europäischen Ausland hat man zunächst mit Erstaunen, dann mit Besorgnis den Spruch des deutschen Verfassungsgerichtes abgewartet. Ähnlich hat sich in den Jahren
1992/93 die Bundesbank eine außenpolitisch bestimmende
Rolle angemaßt. Über den Bestand des Europäischen Währungssystems (EWS) und über die Zukunft der Wirtschafts-
und Währungsunion (WWU) haben für Deutschland weniger der Finanzminister, der Kanzler oder der Bundestag
geredet und entschieden; vielmehr wurden überwiegend
beim Präsidenten der Bundesbank und beim Zentralbankrat
die Weichen gestellt. Die Politiker haben es zugelassen, daß
die Bundesbank den Bereich, in dem sie unabhängig entschei-

den und handeln soll, weit über die ursprünglich im Bundesbankgesetz gemeinten Grenzen hinaus in die Außen- und
Europapolitik ausgedehnt hat.

Auch das Fernsehen hat sich vielfach eine Rolle angemaßt, welche die Rolle der politischen Parteien stark beeinträchtigt und zum Eindruck ihrer Unerheblichkeit beiträgt.
Zur gleichen Zeit, in der uns das Fernsehen überschüttete
mit Bildern und Berichten von Gewalt und Brutalität, Elend
und Tod in Bosnien oder im fernen Somalia, gab es aber –
und gibt es noch – in Georgien, Aserbeidschan und mehreren anderen Staaten der ehemaligen Sowjetunion ähnlich
schreckliche Kriegsschauplätze, auch in Afghanistan, überall unter Beteiligung russischer Truppen. An vielen Orten
der Welt gab es und gibt es Krieg und Bürgerkrieg. Die uns
und dem ganzen Westen von einigen Medien gleichsam aufgedrängte Pflicht zur bewaffneten Intervention hier oder
dort hätte einen anderen Stellenwert, wenn das Fernsehen
uns *alle* Kriegsschauplätze in gleicher Eindringlichkeit vor
Augen führte. Dann nämlich würde sich die Frage ergeben,
ob nicht gleiches gleich zu behandeln sei; und dann wären
wir etwas zurückhaltender beim Abwägen der Frage einer
sittlichen oder politischen Pflicht zur bewaffneten Intervention.

Die Politikverdrossenheit der Deutschen hat also viele
Gründe, sie liegen zwar überwiegend bei unseren Parteien
und den Politikern, aber es gibt auch andere Ursachen. Sind
aber alle Gründe zusammen eine ausreichende Erklärung
dafür, daß heute so viele Deutsche von der Politik die Nase
voll haben?

Ein Seitenblick auf andere Demokratien

Wer sich in anderen Demokratien umschaut, der muß die
Politikverdrossenheit der Deutschen als weit übertrieben
ansehen. So hat Japan erst 1993 das Ende einer 38jährigen
Alleinherrschaft der Liberal-Demokratischen Partei (LDP)
erlebt. Es hat dazu unzähliger Korruptionsskandale führender Politiker bedurft. Das bisherige Wahlrecht war so gestaltet, daß die LDP fast zwangsläufig die Mehrheit der Sitze
erhielt, während sich die anderen Parteien an ihre ewige Oppositionsrolle gewöhnt hatten. Nur ein Aufstand innerhalb
der LDP und die Abspaltung vieler LDP-Abgeordneter
konnten den Machtverlust der LDP erzwingen. Im August
1993 übernahm Premierminister Hosokawa mit einer hoch-
komplizierten (und deswegen schwierig zu steuernden)
Koalition aus insgesamt sieben ehemaligen Oppositions-
und neugegründeten Parteien die Regierungsgeschäfte. Mit
großem Elan machte er sich daran, das Wahlrecht und die
Parteienfinanzierung neu zu regeln. Hosokawas Rücktritt
nach nur acht Monaten Amtszeit macht deutlich, wie
schwer sich Japan mit dem demokratischen Neuanfang tut.

Auch wer nach Italien schaut, wer die Macht der Mafia im
Mezzogiorno und das enorme Ausmaß der politischen Korruption im ganzen Land und bei allen bisherigen Parteien
betrachtet, muß sich in Deutschland gleichfalls recht wohl
fühlen. Allerdings war Italien trotz dieser Mißstände fähig,
im Laufe der Jahrzehnte einen gewaltigen wirtschaftlichen
Aufschwung zustande zu bringen, der den Italienern im
Durchschnitt einen um fast zehn Prozent höheren Lebensstandard garantiert, als ihn die Engländer genießen (Italien
ist eben rechtzeitig der Europäischen Gemeinschaft und dem

sich entwickelnden Gemeinsamen Markt mit seinen großen Chancen und Vorteilen beigetreten; England erst zwei Jahrzehnte später).

Das englische Mehrheitswahlrecht und die lange parlamentarische Tradition des Unterhauses haben in England langfristig für Machtbalance gesorgt. Immer hat eine der beiden großen Parteien regiert, die andere machte Opposition, und von Zeit zu Zeit haben die Wähler die Rollen ausgewechselt. Kaum irgendwo in Europa funktioniert die Demokratie länger und besser als in England; es gibt dort auch kaum eine nennenswerte Korruption. Auch die Rezession ist in England seit 1992 überwunden. Ein Deutscher könnte fast neidisch werden.

Die Arbeitslosenquote liegt 1994 gleichwohl so hoch wie in Deutschland, und die englische Industrie kämpft, ähnlich wie die unsrige, mit großen strukturellen Problemen. Es bedarf jedoch des besonderen deutschen Pessimismus, um die Politik insgesamt für die wirtschaftliche Misere verantwortlich zu machen. In England gründet man in solcher Lage keine neuen Parteien links oder rechts, sondern man wählt beim nächstenmal die andere große Partei (und daneben gibt es als Ausweichmöglichkeit ja immer auch noch die Liberalen).

Ob wir nach Holland, Dänemark oder Frankreich schauen, wo komplizierte Koalitionsregierungen gegen Rezession und Arbeitslosigkeit kämpfen, kaum irgendwo gibt es ein vergleichbares Ausmaß an Mißmut wie bei uns. Wir sollten uns ein Beispiel an unseren Nachbarn nehmen. Wir brauchen mehr Gelassenheit.

Schluß mit der Verdrossenheit!

Wir müssen unsere Haltung ändern, «damit das Land sich ändern kann» (Marion Gräfin Dönhoff). Denn unser Land muß sich ändern. Wir müssen Schluß machen mit unserer Lust an der Verdrossenheit. Wir dürfen nicht hereinfallen auf neue Protestparteien und ihre Parolen, auf neue oder alte Verführer. Sondern wir müssen uns entscheiden. Wir müssen uns entscheiden über den Weg, den wir in den nächsten Jahren politisch gehen wollen.

Wer wissen will, wohin er gehen soll, der muß zuvor wissen, wo er steht und was seine wichtigsten Aufgaben sind. Er braucht zunächst eine Bestandsaufnahme, eine Inventur, um zu erkennen, welche Probleme vordringlich sind, welche Probleme schneller lösbar sind und welche Probleme zu ihrer Lösung Zeit brauchen. Und dann muß er sich für die Instrumente zur Lösung dieser Probleme entscheiden – und für diejenigen Politiker und für die Partei, denen er die Lösung zutraut.

Wer aber in der Verdrossenheit verharrt, der kann mitschuldig werden, wenn wir auf Irrwege gelangen, die wir aus den letzten Jahren der Weimarer Republik in dunkler Erinnerung haben. Die Weimarer Republik ist aus mehreren Gründen gescheitert. Der entscheidende Absturz hat 1930 begonnen, weil es in der Wirtschaftskrise keine handlungsfähige Reichsregierung und keine vernünftige Mehrheit im Reichstag mehr gab. Weil wir heute eine handlungsfähige Bundesregierung dringend brauchen, müssen wir 1994 unsere Verdrossenheit beiseite schieben und uns einen Bundestag wählen, der einen handlungsfähigen Bundeskanzler beruft und diesen Kanzler vier Jahre trägt.

Nichts ist heute wichtiger als die Überwindung der Massenarbeitslosigkeit und der allgemeinen wirtschaftlichen Krise. Keine der Protest- und Splitterparteien kann diese Aufgabe bewältigen, wohl aber könnten sie die Aufgabe unlösbar machen. Es liegt bei uns, den Regierten, unsere Stimmen auf jene Politiker und Parteien zu konzentrieren, denen wir am ehesten zutrauen, den Karren wieder aus dem Sumpf zu ziehen.

II

Ökonomie, soziale Sicherung, Ökologie – kein Königsweg, aber neunzehn Vorschläge

Unter all unseren gegenwärtigen Beschwernissen ragen die Arbeitslosigkeit und die allgemeine wirtschaftliche Unsicherheit hervor. Wenn es diese Sorgen nicht gäbe, wären zwar die anderen Sorgen und Ängste noch keineswegs verschwunden, aber sie wären besser zu ertragen und leichter zu beheben. Deshalb soll hier zunächst von der wirtschaftlichen Situation und von den Wegen zu ihrer Besserung die Rede sein. Dabei müssen wir uns von Pessimismus wie auch von Optimismus freihalten. Ein unbegründeter, oberflächlicher Optimismus hat uns in die heutige, beklemmende Lage geführt. Ein allgemeiner Pessimismus kann sie unnötig verlängern, er könnte sogar in eine tiefgehende Krise der deutschen Demokratie einmünden. Deshalb sind die Tatsachen wichtiger als die Vorurteile, die wir uns über deren mögliche Korrektur gebildet haben.

Tatsächlich hat das hohe Maß an Arbeitslosigkeit in Deutschland mehrere Ursachen, unsere Volkswirtschaft leidet an mehreren Krankheiten und mehreren Pfuschereien zugleich. Einige der Krankheiten können schneller geheilt werden, andere brauchen viel Zeit. Einige der Pfuschereien können korrigiert werden, andere dagegen nicht; ihre Folgen kann nur die Zeit heilen. Dazu gehört zum Beispiel der infolge des überstürzten Verkaufs aller Treuhand-Betriebe eingetretene betrübliche Umstand, daß der größte Teil der ostdeutschen Unternehmen sich heute in westdeutschem Eigentum wiederfindet – denn welcher Ostdeutsche hätte genug Kapital zum Erwerb eines Treuhand-Betriebes zur Verfügung gehabt? Das Rückerstattungsprinzip im Einigungsvertrag für enteignete Grundstücke und Gebäude hat die Sache noch wesentlich verschlimmert.

Es gibt keinen Königsweg, kein Generalrezept gegen unsere Arbeitslosigkeit. Vielmehr brauchen wir einen langen Rezeptzettel mit vielerlei Medikamenten. Alle Medikamente müssen alsbald eingesetzt werden, aber einige werden längere Zeit brauchen, bis ihre Wirksamkeit sichtbar werden kann.

Es ist nicht mehr damit zu rechnen, daß die heutige Bundesregierung Kohl/Waigel/Kinkel noch im Laufe des Superwahljahres 1994 zu wesentlichen Schritten genug Kraft hat. Ihre Kräfte werden weitgehend von den vielen aufeinanderfolgenden Wahlkämpfen absorbiert; außerdem scheint sie den bei jedem zusätzlichen Akt unvermeidlichen Vorwurf zu fürchten, ihre bisherige ökonomische Politik habe offensichtlich nicht ausgereicht. Deshalb richten sich die hier folgenden Vorschläge zwar an jedermann; ich gehe aber davon aus, daß die meisten erst von der im Herbst 1994 neu zu bildenden Bundesregierung aufgenommen werden können.

Wenn die Bundesregierung und einige ihr freundlich Gesinnte für das Jahr 1994 vorhersagen, der Tiefpunkt der Rezession sei erreicht, so dürfen wir uns dadurch nicht beruhi-

gen lassen. Denn zum einen stimmen wirtschaftswissen-
schaftliche Prognosen nur im Glücksfall. Zum anderen aber
würde 1994 selbst bei einem gesamtdeutschen Wirtschaftswachstum von 3 Prozent die Arbeitslosigkeit nicht abnehmen, und von einem solchen Wachstum sind wir weit entfernt.

Für 1993 hatten uns die wirtschaftswissenschaftlichen In-
stitute gemeinsam ein Wachstum in Westdeutschland von
0,5 Prozent vorausgesagt, der Sachverständigenrat sagte
0,0 Prozent voraus. Tatsächlich ist das deutsche Sozialprodukt 1993 um 2,0 Prozent geschrumpft. Der Sachverständigenrat hatte mit einem Rückgang der Ausrüstungsinvesti-
tionen um 2,0 Prozent gerechnet, tatsächlich wurde es dann
ein Rückgang um 15,5 Prozent. Für 1994 rechnet der Sachverständigenrat abermals mit Nullwachstum für Westdeutschland, bei einem abermaligen Investitionsrückgang
um 2,0 Prozent; wer könnte daraus Hoffnungen ableiten?
Lediglich für die ostdeutschen Länder erscheinen Hoffnungen berechtigt, aber der Osten steuert zum Sozialprodukt
der gesamten Bundesrepublik nur ein Dreizehntel bei, obwohl dort ein Fünftel aller Einwohner lebt.

Zusammengefaßt: *In keinem Fall wird 1994 die Arbeitslosigkeit im vereinigten Deutschland sinken, sie wird im
Gegenteil noch steigen.* Wir werden froh sein, wenn die Arbeitslosigkeit am Ende des Winters 1994/95 ihren Höhepunkt überschreitet – aber auch das ist nicht sicher. Vieles
hängt nämlich vom Wahlergebnis ab, das heißt von der
nächsten Bundesregierung.

Nach dem Kassensturz:
finanzwirtschaftliche Gratwanderung

1. Es ist eine Tatsache, daß wir nur zu einem Teil an einer
«zyklischen» oder konjunkturellen Rezession leiden. Das in früheren Zeiten dagegen angewandte Rezept à la John Maynard Keynes – nämlich Steigerung der staatlichen Ausgaben, finanziert durch zusätzliche Kreditaufnahmen des Staates – ist bei uns 1994 nicht anwendbar. Denn angesichts des desolaten Zustandes unserer öffentlichen Finanzen und angesichts unserer schon heute alljährlich zusätzlich aufgenommenen Schulden wäre eine wesentlich höhere Neuverschuldung nicht zu verantworten. Sie wäre weder im Hinblick auf die künftige Zinsbelastung zu verantworten noch wegen der weiter wachsenden Abhängigkeit vom Import ausländischen Kapitals. Sie würde übrigens die Inflationsraten tendenziell wieder nach oben treiben.

   Damit erledigen sich die romantischen Pläne einiger Politiker der gegenwärtigen Regierungskoalition, die von einer «Zwangsanleihe für Besserverdienende», einer «Deutschlandanleihe» und dergleichen reden. *Lediglich für das für den Aufschwungsbeginn entscheidende Jahr 1995 ist eine vorsichtig begrenzte Ausweitung der Kreditaufnahme des Staates zu verantworten.*

2. Einige andere Politiker meinen demgegenüber, man sollte statt dessen die Steuern weiter erhöhen, zum Beispiel die indirekten Steuern (wie Mehrwertsteuer, Mineralölsteuer usw.) oder die Einkommensteuer «für Besserverdienende». Tatsächlich ist die Belastung der

Deutschen mit Steuern und Sozialbeiträgen heute bereits höher als jemals zuvor. 1994 wird die gesamtwirtschaftliche Abgabenquote bei 45 Prozent liegen; 1982 betrug sie lediglich 39 Prozent. Nach den vielen Basteleien an der Steuerschraube Anfang der neunziger Jahre *ist gegenwärtig von weiteren Steuerbelastungen dringend abzuraten.* Wer nur die hohen Einkommen und Vermögen treffen will, muß sich fragen, ob er noch mehr Verlagerungen nach Monaco, Luxemburg und anderen Steuerparadiesen auslösen will.

3. Wieder andere Politiker reden einer drastischen Einsparung bei den Staatsausgaben das Wort. Generell haben alle recht, die den Finger auf unnötige öffentliche Ausgaben legen, besonders auf übertriebene staatliche Subventionen. Allerdings ist auf dem Tiefpunkt der konjunkturellen Rezession eine allgemeine *Senkung der Staatsausgaben insgesamt einstweilen nicht empfehlenswert.* Sie würde die Rezession noch vertiefen. Deshalb ist *bis zum Aufschwung die bisher geplante Höhe der Neuverschuldung in Kauf zu nehmen.*

4. Ganz anders sind *Umschichtungen* innerhalb der öffentlichen Haushalte zu beurteilen. Je mehr konsumorientierte Subventionen eingespart und statt dessen *Arbeitsplätze schaffende, investitionsorientierte Ausgaben ausgeweitet* werden, um so besser für den Abbau der Arbeitslosigkeit. Freilich wirken sich die Umschichtungen nicht sofort auf dem Arbeitsmarkt aus. Darüber gleich mehr.

An dieser Stelle muß eine schwerverdauliche Wahrheit ausgesprochen werden. Wie schnell es gelingen kann, *anspruchsvolle* Arbeitsplätze zu schaffen, die im weltwirtschaftlichen Wettbewerb ohne Subvention bestehen können, kann keiner im voraus ausrechnen. Aber «diese Ungewißheit sollte uns nicht in die Versuchung führen, eine Zeitlang einen Teil der (unmodernen) Arbeitsplätze zu erhalten, indem man auf möglichen technischen Fortschritt verzichtet. Das könnte schnell mit dem Verlust *aller* Arbeitsplätze... enden» (Hans Matthöfer).

Eine finanzwirtschaftliche Generalinventur muß Klarheit und Übersicht schaffen über die bestehenden Subventionen für die Wirtschaft. Wir möchten *endlich wissen, wie hoch die Gesamtsumme der Subventionen und wie hoch die Subvention pro Arbeitsplatz* (oder pro landwirtschaftlichen Vollerwerbsbetrieb samt mithelfenden Familienmitgliedern) in den subventionierten Branchen ist: in der Kohle, im Stahl, im Schiffbau, in der Landwirtschaft, in den privatisierten Treuhandunternehmen, in den noch nicht privatisierten Treuhandunternehmen usw.

Nur wenn darüber Klarheit besteht, nur wenn wir wissen, wie viele Arbeitsplätze an diesen Dauertröpfen hängen, können rationale Entscheidungen über den notwendigen schrittweisen Abbau der Subventionen für alte Wirtschaftszweige und damit über die Freimachung von öffentlichen Geldern für zukunftsträchtige Zwecke getroffen werden. Diese *Entscheidungen zur langfristigen Umschichtung innerhalb des öffentlichen Gesamthaushaltes* müssen *zu Beginn des Jahres 1995* getroffen werden.

5. Der wirtschaftliche Aufbau in Ostdeutschland wird noch viele Jahre in Anspruch nehmen. Inzwischen werden weiterhin *Transfers* (Überweisungen) *öffentlicher Gelder in den Osten in der Höhe von jährlich mindestens 150 bis 180 Milliarden DM notwendig* bleiben. Daran sparen zu wollen wäre ein schwerer Verstoß gegen die Solidaritätspflicht der Westdeutschen. Die Finanzierung dieser Übertragungen wird um so leichter, je eher die Rezession in Westdeutschland beendet sein wird.

6. Autobahn- und Straßenbau, Eisenbahnen, Fernmeldeverbindungen, Wasserstraßen und Binnenhäfen, Flughäfen, Sanierungen usw. sind in den östlichen Bundesländern weit hinter westdeutschen Maßstäben zurückgeblieben. *Je schneller die ostdeutschen Rückstände aufgeholt werden*, um so attraktiver werden die ostdeutschen Standorte für privatwirtschaftliche Investoren, *um so eher wird dort die Zahl der Arbeitsplätze zunehmen.*

Das im Herbst 1993 veröffentlichte umfangreiche Dokument der Bundesregierung zur Sicherung des Wirtschaftsstandorts Deutschland ist über diese besonderen ostdeutschen Notwendigkeiten in großzügiger Nichtachtung ohne ein Wort hinweggegangen; darin spiegelt sich die ideologisch auf Westdeutschland, seine Wirtschaftsordnung und seine Instrumente fixierte Haltung des Bundesministeriums für Wirtschaft wider. In seiner bisherigen Form und Ausrichtung macht dieses Ministerium kaum noch Sinn, zumal es längst große Teile seiner ursprünglichen Aufgaben an das Finanzministerium und zunehmend nach Brüssel an die Europäische Union abgegeben hat.

7. Wie groß gegenwärtig die Spielräume im Rahmen der öffentlichen Haushalte sind, ist selbst für einen sehr aufmerksamen Beobachter nicht zu erkennen. Die Debatten des Bundestages über den Bundeshaushalt 1994 waren eher irreführend als erhellend. Denn der Bundeshaushalt umfaßt nur einen Teil der den Bund betreffenden Einnahmen, Ausgaben, Schulden, Subventions- und Zinsverpflichtungen. Die Kreditaufnahmen der Schattenhaushalte des Bundes insgesamt, ihre Gesamtverschuldung und ihre Zinsverpflichtungen sind etwa genauso hoch wie der Bundeshaushalt selbst, dieser macht heute nur noch die Hälfte aus. Dies ist im übrigen ein Verstoß gegen den Grundsatz einer geordneten Haushaltsführung. Das Grundgesetz schreibt vor: «Alle Einnahmen und Ausgaben des Bundes sind in *den* Haushaltsplan einzustellen.»

Die neue Bundesregierung braucht am Anfang *einen öffentlichen Kassensturz, eine finanzwirtschaftliche Generalinventur.* Diese darf nicht nur den traditionellen Bundeshaushalt umfassen, sondern muß auch die Treuhandanstalt, den Fonds Deutsche Einheit, den Kreditabwicklungsfonds, den Erblastentilgungsfonds, den Entschädigungsfonds, die Altschulden für Wohnungen Ost und so weiter bis zu den Eisenbahnen und der Post aufführen; sie muß die Länder und die Gemeinden einschließen. Wir brauchen Klarheit über Einnahmen, Ausgaben, Schuldenstand und Zinslast des gesamten öffentlichen Bereichs.

Dabei sind auch die gegenwärtigen sozialpolitisch höchst unerwünschten Entlastungen des Bundes durch die *Anzapfung der Sozialversicherungen* (der Arbeitslosenversicherung im besonderen) zur Finanzierung seiner wirtschafts- und arbeitsmarktpolitischen Aufgaben aufzuführen; es geht nicht länger an, daß die Beitragszahler der Arbeitslosenversicherung den Bund subventionieren.

Arbeitskosten anhalten, flexible Lohntarife

8. Wer die offiziellen Arbeitslosenzahlen liest, ist womöglich geneigt, die durch die Arbeitslosigkeit ausgelöste Krise (Arbeitslosigkeitskrise) zu unterschätzen. Offiziell werden wir 1994 rund vier Millionen Arbeitslose haben. Tatsächlich muß man über 300 000 Menschen hinzuzählen, die in Arbeitsbeschaffungsmaßnahmen beschäftigt sind, weiterhin fast 700 000, die an Vollzeitmaßnahmen zur beruflichen Fortbildung teilnehmen, und zuletzt mehr als 600 000 Personen im vorzeitigen Ruhestand – zusammen eine verdeckte Arbeitslosigkeit von mehr als anderthalb Millionen Menschen, vornehmlich im Osten Deutschlands. Insgesamt fehlen uns 1994 mehr als 5 ½ Millionen Arbeitsplätze. Wolfram Engels hat öffentlich vorgerechnet, daß uns sogar sieben Millionen Arbeitsplätze fehlen.

Die Manager der klassischen Industrien (wie Maschinenbau, Autoindustrie, Elektroindustrie oder Chemie) sind vielfach geneigt, für diese hohe Arbeitslosigkeit wie auch für ihre eigenen Absatz- und Ertragsprobleme ausschließlich die hohen Lohnkosten (die sie als Arbeitgeber selber vereinbart haben) und die Lohnnebenkosten verantwortlich zu machen; wer den technologischen Rückstand unserer Industrie kennt, weiß, daß dies ein einseitiges Urteil ist.

Gleichwohl bleibt wahr: Unser hohes Maß an Arbeitslosigkeit ist zum Teil *auch* die Folge hoher deutscher Arbeitskosten, die pro Arbeitsstunde im Vergleich mit den tüchtigen ostasiatischen «little tigers» etwa fünfmal, im Vergleich mit Ländern im östlichen Mitteleuropa zehnmal so hoch liegen. Dabei bestehen die deutschen Arbeitskosten nur zu knapp drei Fünfteln aus Löhnen, der Rest entfällt auf Lohnzusatzkosten. Für letztere ist im wesentlichen der Gesetzgeber verantwortlich; für die Löhne jedoch müssen Arbeitgeber und Gewerkschaften als Tarifvertragspartner gemeinsam geradestehen.

Insgesamt sind in Deutschland in den letzten Jahren die Arbeitskosten für jedes gefertigte Produkt (meist als Lohnstückkosten zitiert) stärker gestiegen als in allen anderen Industriestaaten, Japan ausgenommen. Deshalb liegt es für die deutsche Industrie nahe, die Lohnstückkosten durch Rationalisierung der Produktion zu senken; dies führt zwangsläufig zum Abbau von industriellen Arbeitsplätzen.

Für die Zukunft müssen offensichtlich sowohl die beiden Tarifvertragspartner als auch der Gesetzgeber versuchen, den weiteren Anstieg der deutschen Arbeitskosten pro Produkt zu dämpfen, um die Konkurrenzfähigkeit deutscher Produkte wieder zu steigern. Mit anderen Worten: *Die Lohntarifpolitik muß sich mäßigen.* Für eine Reihe von Jahren ist ein Lohnanstieg, der über die

Inflationsrate der Verbraucherpreise hinausgeht, nicht sinnvoll. Sofern der Staat es außerdem fertigbrächte, die auf die Lohnkosten draufgelegten Abgaben zu den Sozialversicherungen konstant zu halten, statt sie weiterhin munter ansteigen zu lassen, wäre die internationale Wettbewerbsfähigkeit größerer Teile unserer Industrie schrittweise wiederherzustellen.

Darüber hinaus könnte ein zu Buch schlagender Anteil unserer Arbeitslosigkeit ziemlich schnell aufgesogen werden, wenn die Lohntarifpolitik künftig wesentlich flexibler gestaltet werden würde. Viele Frauen wären zum Beispiel mit einem Teilzeitarbeitsverhältnis zufrieden. Aber die Arbeitszeiten müssen auch ganz allgemein flexibler geregelt werden, damit die Maschinen länger laufen und besser ausgenutzt werden können. Heute haben wir – abgesehen von Portugal – die kürzesten Maschinenlaufzeiten in der Europäischen Union.

Flexibilität ist auch bezüglich der Lohnhöhe angezeigt. Schon in der alten Bundesrepublik war es falsch, daß für die metallverarbeitende und die Elektroindustrie die Löhne zunächst im Raum Stuttgart ausgehandelt wurden (wo die damals ertragreichsten Firmen wie Daimler-Benz, Bosch und IBM angesiedelt sind), um anschließend weitgehend automatisch aufs ganze Land übertragen zu werden, selbst auf die relativ armen Gebiete der Oberpfalz oder Ostfrieslands. Heute ist die schematische Übertragung von Westlöhnen etwa auf Mecklenburg-Vorpommern oder Brandenburg eine der wichtigsten Ursachen für die hohe Arbeitslosigkeit im Osten. *Wir brauchen eine viel größere Betriebsnähe der Lohnpolitik einschließlich der Arbeitszeitregelungen.*

Zumindest müssen die Unternehmen und die Betriebsräte das Recht erhalten, vom Tarifvertrag abzuweichen (durch eine sogenannte Öffnungsklausel im Tarif), um Betrieb und Arbeitsplätze zu erhalten. In den guten alten Zeiten haben viele gutgehende Unternehmen übertarifliche Löhne gezahlt; das ist kaum noch irgendwo der Fall. Heute darf der Tarif nicht schematisch gute und gefährdete Unternehmen über denselben Kamm scheren. Sowohl Gewerkschaften als auch Arbeitgebervereinigungen müssen über den Schatten ihrer altgewohnten Praxis springen. Die ersten Tarifabschlüsse des Jahres 1994 scheinen in diese Richtung zu gehen.

Auch innerhalb eines Tarifvertrages muß es künftig wieder eine größere Differenzierung der Löhne geben. Besonders im Handel, beim Handwerk und in den Dienstleistungs- und Büroberufen aller Art, das heißt in dem großen Bereich, in dem mehr als zwei Drittel aller Erwerbspersonen arbeiten, sind infolge zu starker Anhebung der unteren Lohngruppen viele Arbeitsplätze weggefallen. *Für die Zukunft brauchen wir auch wieder die einfacheren Arbeitsplätze.*

Das bei VW in Wolfsburg eingeführte Modell der Kurzarbeit ist – entgegen der Meinung vieler – als Modell für die Gesundung der deutschen Industrie kaum allgemein geeignet. Es heißt, die *Viertagewoche* könnte, bei entsprechendem Lohnverzicht, im Ergebnis viele Arbeitslose wieder in Lohn und Brot bringen; das ist auch denkbar. In Wirklichkeit aber kann sie allein die internationale Wettbewerbsfähigkeit der deutschen Industrie oder auch nur die Arbeitskostenbelastung nicht verbessern. Durch Einführung der Viertagewoche verkauft VW keinen einzigen PKW zusätzlich – weder im Inland noch im Ausland. Das Modell hält lediglich Arbeitskräfte im Unternehmen, die sonst zum Teil hätten entlassen werden müssen, in der Hoffnung, daß bei dieser Gelegenheit ergriffene Rationalisierungen und andere Maßnahmen des Unternehmens und des Staates eine Besserung bei VW einleiten und zur vollen Arbeitszeit zurückführen. Der Ausgang des Experiments hängt davon ab, ob die begleitenden Maßnahmen Erfolg haben.

9. Schließlich und endlich müssen die Tarifvertragspartner in ihren Verträgen sich auch für den *Investivlohn* öffnen, das heißt Unternehmen und Belegschaften die Möglichkeit bieten, einen Teil des Lohnes in Anteilen am Unternehmen auszuzahlen (etwa in jungen Aktien) oder auch in Fondsanteilen am noch nicht privatisierten Liegenschaftsvermögen der Treuhandanstalt oder an den westdeutschen Staatsunternehmen, die zur Privatisierung anstehen. Dies könnte einerseits die Liquiditätssituation des Unternehmens oder, je nach Lage des Falls, die Kostensituation entlasten und damit die Wettbewerbsfähigkeit stärken; andererseits wäre eine größere Sicherheit der Arbeitsplätze gewährleistet. Vor allem aber kämen mit dem Investivlohn Ludwig Erhard und die ganze katholische Soziallehre endlich zu ihrem Recht. Es wäre der für die Kapitaleigner praktisch schmerzlose Beginn einer langsamen Umverteilung des bisher im Eigentum weniger befindlichen Produktivkapitals in die Hände von Arbeitnehmern. Auf längere Dauer würde dieser Weg den stetigen Druck auf inflatorische Erhöhung der Nominallöhne verringern.

Natürlich kann man das Instrument des Investivlohnes durch Gesetz einführen – mir scheint jedoch eine Einführung durch Vertrag und Tarifvertrag den Vorzug zu verdienen. Nicht nur deshalb, weil der Staat ohnehin schon allzu vieles regelt und reglementiert, sondern auch, weil vertragliche Regelung den Vorzug der Beweglichkeit hat; sie gibt den Vertragspartnern zum Beispiel die Möglichkeit, verschiedene Modelle des Investivlohnes an verschiedenen Orten praktisch zu erproben. Mehrere große wie auch kleine deutsche Unternehmen haben diesen Weg längst erfolgreich beschritten; von Bertelsmann bis Rosenthal und von Körber bis zum «Spiegel». Auch dazu freilich mußten Arbeitnehmer und Arbeitgeber über die Schatten ihres Konservatismus und ihrer Vorurteile springen.

10. Der Staat, genauer: *die Regierung, soll sich so weit wie möglich von jedweder Reglementierung von Lohn und Arbeitszeit fernhalten.* Das muß auch für Krisenzeiten gelten: Je mehr der Staat eingreift, desto mehr geht schief. Allerdings gibt es mehrere Felder, die gesetzlich geregelt bleiben müssen. Dazu gehört das *Verbot der Schwarzarbeit,* das sind Arbeitsverhältnisse ohne Steuerzahlung, ohne Sozialversicherung usw. Gegenwärtig greift Schwarzarbeit in hohem Maße um sich, auch Schwarzarbeit von Ausländern und ganzen Arbeitskolonnen aus dem Ausland. Deshalb muß in Zukunft mit sehr viel härteren Maßnahmen des Staates eingegriffen werden, ich würde auch vor Haftstrafen für den Arbeitgeber nicht zurückschrecken.

In gewissem Zusammenhang mit der Schwarzarbeit

steht der arbeitsrechtliche Begriff der *Zumutbarkeit eines Arbeitsplatzes*. Es ist schwer verständlich, warum einem arbeitslosen Stahlkocher oder Werftarbeiter oder Bergarbeiter nicht «zugemutet» werden darf, auf dem Bau zu arbeiten; die handwerklichen Fähigkeiten zur Ausübung der meisten Bauberufe haben sie doch! An der Nichtzumutbarkeit des Obstpflückens scheiterte im norddeutschen Obst- und Gartenbau im letzten Herbst die Beschäftigung von Empfängern der Arbeitslosenhilfe; statt dessen holte man Arbeitskräfte aus dem östlichen Ausland, damit das Obst nicht auf den Bäumen verfaulte. Eine Änderung der Bestimmungen ist offenkundig notwendig, zumal viele Leute als Arbeitslose Sozialleistungen empfangen und gleichzeitig schwarz, in angeblich nicht zumutbarer Arbeit, Geld dazuverdienen.

Die vom Staat geschaffenen Beschäftigungsgesellschaften im Osten Deutschlands und der ganze sogenannte *zweite Arbeitsmarkt* sind auf die Dauer kein geeignetes Instrumentarium. Solange hier Leistungen produziert werden, für die es auf den Märkten keine Nachfrage gibt, handelt es sich um ein zwar psychologisch nützliches, weil wohltuendes, aber kostspieliges staatliches Beschäftigungsprogramm (das gegenwärtig überdies aus Beiträgen zur Arbeitslosenversicherung finanziert wird); sobald jedoch Leistungen hervorgebracht werden, für die es eine privatwirtschaftliche Nachfrage gibt, würde auf die Dauer der eigentliche Arbeitsmarkt unterminiert, das heißt, dort würden Arbeitsplätze gefährdet. Dieser zweite Arbeitsmarkt – der in Wahrheit gar kein Markt ist – sollte also auf die östlichen Bundesländer beschränkt bleiben (und nur für eine Übergangszeit aufrechterhalten werden).

Sozialpolitische Generalreform nicht überstürzen

11. Der Staat hat durch mehrfache Erhöhung der Beiträge zu den Sozialversicherungen zum Anstieg der Lohnnebenkosten beigetragen. Durch die zunehmend prekäre Lage der Arbeitslosen-, der Kranken- und der Rentenversicherung sah er sich dazu veranlaßt; zuletzt hat er für 1994 einen Anstieg der Rentenversicherungsbeiträge von 17,5 Prozent auf 19,2 Prozent verordnet. Während der jetzigen allgemeinen wirtschaftlichen Krise ist *eine weitere Erhöhung der Beiträge schädlich.* Statt dessen müssen die Leistungen in Zukunft notfalls weniger stark angehoben werden.

Wenn tatsächlich im Jahre 1994 eine allgemeine Pflegeversicherung als viertes soziales Sicherungsnetz eingeführt werden sollte, dann werden die Zusatzkosten zu den ohnehin beträchtlichen Lasten der aktiv tätigen Arbeitnehmer noch hinzukommen. Darüber haben sich Norbert Blüm und der Arbeitnehmerflügel der CDU / CSU lange selbst getäuscht. Der erhoffte Entlastungseffekt wird auch weniger bei den pflegebedürftigen kleinen Leuten als vielmehr bei den Sozialhilfe gewährenden Kommunen eintreten. Es handelt sich um eine gutgemeinte Idee zum völlig falschen Zeitpunkt. Gegenwärtig machen die Abzüge vom Bruttolohn im Durchschnitt bereits 34,5 Prozent aus.

Für die untersten Lohngruppen ist der Abstand zum Arbeitslosengeld gefährlich klein geworden. Manch einer benutzt Arbeitslosengeld und Sozialhilfe als Hängematte; wenn er daneben jede Woche noch einige Stunden schwarz in der Schattenwirtschaft arbeitet, kann er bei geringer Arbeitsleistung insgesamt ein höheres Nettoeinkommen erzielen als sein Nachbar, der in einer unteren Lohngruppe die ganze Woche regulär arbeitet. Der Staat muß nicht nur schärfer gegen Schwarzarbeit vorgehen, sondern auch für *ausreichenden Abstand der Sozialleistungen von den regulären unteren Einkommen* sorgen – und dies keineswegs, wie oben gezeigt, durch Anhebung der unteren Lohngruppen.

Gewiß ist diese Forderung auf den ersten Blick unpopulär, sie wird als angeblich unsozial bekämpft werden. Sie entspricht gleichwohl einer Notwendigkeit, wenn man denn das Prinzip der sozialen Gerechtigkeit ernst nimmt. Denn der regulär arbeitende Nachbar darf nicht dem Eindruck ausgesetzt werden, eigentlich sei er der Dumme; er darf nicht der Versuchung ausgesetzt werden, seinerseits dem schlechten Beispiel des schwarzarbeitenden Sozialhilfeempfängers zu folgen.

12. Auf mittlere Sicht wird unser Gesamtsystem der sozialen Sicherheit einer gründlichen Überholung und Reform bedürfen. So haben zum Beispiel die zunehmende Überalterung unseres Volkes und die zunehmende Neigung (vor allem im öffentlichen Dienst) und der Zwang (vor allem durch sogenannte Sozialpläne), vor dem 65. Lebensjahr «in Rente zu gehen», dazu geführt, daß

immer weniger aktiv Arbeitende durch Rentenversicherungsbeiträge und Steuern für immer mehr Rentner deren Rente finanzieren müssen. Diese Verschiebung hat
in der Vergangenheit zu stetig steigenden Rentenversi-
cherungsbeiträgen gezwungen. Der prozentuale Abzug
vom Bruttolohn der Aktiven ist unaufhaltsam gestiegen. Er wird weiterhin steigen und damit *den Genera-
tionenvertrag in Gefahr bringen*, nach dem die Jungen
die Rente der Alten zu erarbeiten haben.

Zur Behebung dieses sich langsam, aber stetig zuspit-
zenden ökonomischen Notstandes hat in den letzten
Jahren eine breite Diskussion begonnen. Auch mehrere
Politiker (so Kurt Biedenkopf, Heiner Geißler und Oskar Lafontaine) haben sich daran beteiligt. Verschiedene
Vorschläge liegen auf dem Tisch. Die gegenwärtige
wirtschaftliche Krise hat bisher eine sorgfältige Klärung
verhindert. Eines jedoch scheint schon heute völlig klar
zu sein: Wir werden vor der Alternative stehen, entweder unsere Rentenleistungen im Verhältnis zu dem Einkommen der Aktiven schrittweise zu verringern oder
aber unsere Lebensarbeitszeit wieder auszudehnen, das
heißt im Durchschnitt länger zu arbeiten als heute (Studenten zum Beispiel müssen auch früher als heute mit
der Arbeit und mit der Beitragszahlung beginnen).
Oder anders gesagt: Wir werden über einen längeren
Zeitraum Beiträge zur Rentenversicherung leisten müssen und über weniger Jahre, das heißt später als heute,
unsere Rente genießen können. An dieser Einsicht werden wir selbst dann nicht vorbeikommen, wenn wir so
radikalen Vorschlägen folgen sollten wie einer Umstel-
lung des bisherigen Prinzips von beitragsfinanzierten

Renten und Sozialleistungen auf steuerfinanziertes «Bürgergeld» (oder «Negativsteuer»).

Die Arbeitslosigkeitskrise, die auch 1995 andauern wird, ist jedoch ein ungeeigneter Zeitraum, dieses Fragenbündel aufzuschnüren und die einzelnen Fragen zu lösen. *Wir brauchen einen Kurswechsel unserer ökonomischen Politik; wir sollten ihn nicht durch einen gleichzeitigen Kurswechsel unserer Sozialpolitik gefährden,* der viel Vertrauen braucht, der aber auch Vertrauen kosten kann. Andererseits können wir es uns nicht leisten, die notwendige Bestandsaufnahme unserer sozialen Sicherheitsnetze über die Jahrhundertwende hinauszuschieben. *Vielmehr muß im weiteren Verlauf der Legislaturperiode des neuen Bundestages der sozialpolitische Zug schon auf neue Gleise gesetzt werden.*

13. Während unsere Zeitungen am Wochenende überquellen von Angeboten an Bürobauten und frei finanzierten Eigentumswohnungen, besteht gleichzeitig ein großer Mangel an preiswerten Mietwohnungen, die für die Mehrzahl der Wohnungssuchenden erschwinglich sind. Nach den in Westdeutschland für die Zuweisung einer Wohnung des sozialen Wohnungsbaus gültigen Maßstäben fehlen gegenwärtig in der vereinigten Bundesrepublik mehrere Millionen Wohnungen.

Einer der Gründe für den Mangel an Wohnungen ist das Übermaß an staatlicher Reglementierung des Eigentümers. Nur wenige private Kapitalgeber oder Bauherren sind bereit, Sozialwohnungen zu bauen und sich den damit verbundenen Vorschriften zu unterwerfen, solange sie im freien Markt für Büros, Läden, Einkaufs-

zentren, Hotels usw. bessere Renditen erzielen können.
Abschreckend wirkt auch der übertriebene Kündigungs-
schutz, der es praktisch unmöglich macht, unzuträg-
liche Mieter loszuwerden.

Auch im Bereich des sozialen Wohnungsbaus
herrscht Unsicherheit. Der Versuch, Mieter, die infolge
einer günstigen Einkommensentwicklung eigentlich
keinen Anspruch auf eine Wohnung des staatlich finanzierten sozialen Wohnungsbaus mehr haben, mit einer
Fehlbelegungsabgabe zu belasten, trägt zur weiteren
Unübersichtlichkeit bei. Einerseits kann kein normaler
Mieter alle Zusammenhänge durchschauen; vielfach
fühlt er sich übervorteilt. Andererseits liegen die Renditen im Mietwohnungsbau deutlich unter den Renditen,
die am Kapitalmarkt bei viel weniger Ärger und Schere-
rei zu erzielen sind. Man muß sich deshalb über den
Wohnungsmangel nicht wundern.

Ähnlich wie unsere sozialen Sicherheitsnetze bedarf
deshalb auch die Vielfalt der Wohnungsbauförderungen
einer generellen Bestandsaufnahme und für die Zukunft
einfacherer und überschaubarer Regelungen. Mir
scheint es denkbar, sich prinzipiell auf zwei Typen zu
beschränken: zum einen auf staatlich gezahltes Wohngeld für bedürftige Mieter, im übrigen Herstellung
freier Märkte im Wohnungsbau und bei den Mieten;
zum anderen eine auf den einzelnen Steuerzahler bezo-
gene Wiederherstellung des guten alten Paragraphen 7 c
des Einkommensteuergesetzes zur Förderung des Baues
eines Eigenheims oder des Erwerbs einer Eigentums-
wohnung für sich selbst.

Fachleute mögen diese Vorschläge für zu einfach hal-

ten; zumindest werden sie die Schwierigkeiten von
Übergangsregelungen von dem jetzigen verworrenen
System zu einem einfacheren System hervorheben.
Alle Wohnungs- und Mietfachleute, vor allem aber die
Politiker sollten jedoch eines erkennen. *Ohne Herstellung von echten Wohnungsmärkten wird auf mindestens zwei Generationen hinaus der akute Wohnungsmangel nicht behoben werden,* schon gar nicht in den
östlichen Bundesländern.

Aber auch hier gilt: 1995 muß die Überwindung der
wirtschaftlichen Krise im Vordergrund stehen. Erst
später können wir an die sozial wichtige, langfristige
Aufgabe herangehen, in großem Maßstab für neue
Wohnungen zu sorgen. Spätestens dann werden auch
Bauland-Ausweisungen, Bauleitpläne und all die anderen tausend Vorschriften vereinfacht werden müssen,
die heute alles Bauen behindern.

Eine große Vereinfachung ist überfällig

14. Aus einem großen deutschen Konzern war jüngst zu erfahren, daß er zu Hause sechs Jahre auf eine Baugenehmigung hat warten müssen, während er in Japan eine
Baugenehmigung in sechs Wochen erhielt. Dies ist ein
Paradebeispiel für deutschen Regelungsperfektionis-
mus und für Verzögerungen und Behinderungen ver-
nünftigen wirtschaftlichen Handelns durch unsere
staatlichen und kommunalen Verwaltungen. Freilich
liegt in aller Regel die Ursache bei den Ministerien und
den Gesetzgebern in Bund und Ländern.

Ich will deswegen hier einen Vorschlag wiederholen, den ich vor Jahresfrist schon einmal gemacht habe («Handeln für Deutschland», S. 122–124). Die im Herbst 1994 neu zu bildende Bundesregierung sollte einen Minister beauftragen, binnen eines Jahres eine alle Felder staatlicher Regelungen umfassende *Streich- und Vereinfachungsliste* vorzulegen, vom Baugenehmigungsrecht bis zum Steuerrecht, von den TÜV-Vorschriften bis zum Gerichtsverfassungsgesetz.

Natürlich werden die Bürokraten aller Fachministerien, angestachelt durch die Bürokraten der lobbyistischen Interessenverbände, ein großes Geheul veranstalten, weil ihre heiligen Kühe geschlachtet werden sollen. Dann muß der Bundeskanzler sagen: Ich halte es mit dem Subsidiaritätsprinzip. Das heißt: nichts, was unten und im Einzelfall und privat vernünftig erledigt werden kann, darf von oben und durch Gesetz und Verordnung oder Erlaß geregelt werden.

Bundeskanzler Kohl hat die Notwendigkeit einer Entbürokratisierung schon 1992 eingesehen, er hat seither mehrfach darüber geredet, aber geschehen ist nichts. Dabei gibt es eine Reihe brauchbarer Vorschläge in der Arbeit der 1987 von der Bundesregierung eingesetzten «Deregulierungskommission». Die 1994 neu zu bildende Bundesregierung muß sich der Sache so schnell wie möglich annehmen.

Was den Umzug der Bundesregierung nach Berlin betrifft, wäre es wünschenswert, jedes Ministerium zum Zeitpunkt seines Umzuges in zwei Teile zu zerlegen, nämlich in einen eher kleinen Führungskopf als künftiges Bundesministerium in Berlin und in eine deutlich größere Bundesoberbehörde, die in Bonn verbleiben kann. Eine interessante Studie hat am Beispiel des 1300 Stellen umfassenden Bundesverkehrsministeriums gezeigt, daß eine derartige Trennung zu weitaus größerer Effizienz führen würde. Auf längere Sicht würde sich bei Durchführung aller Vorschläge des genannten Gutachtens eine erhebliche Vereinfachung ergeben – abgesehen von der enormen Verringerung der Umzugskosten, denn zwei Drittel des Personals blieben im Großraum Bonn.

Forschung ist lebenswichtig

15. In der Person von Heinz Riesenhuber haben wir über viele Jahre einen effizienten Bundesminister für Forschung gehabt; als Kanzler Kohl ihn durch einen jungen Anfänger ablöste, wurde das unter Forschern und Wissenschaftlern zutiefst bedauert, zumal kein sachlicher Grund erkennbar war. Tatsächlich ist das *Forschungsministerium* eines der wichtigsten Häuser der Zukunft, denn auf dem Feld der Grundlagenforschung und der angewandten Forschung wird sich auf mittlere und längere Sicht *entscheiden, ob Deutschland den hohen Stand seiner Löhne und Sozialleistungen halten kann.* Tatsächlich ist der Forschungsetat des Bundes in den letzten Jahren sträflich vernachlässigt worden. 1982 betrug er noch 2,7 Prozent der Ausgaben des Bundes, heute macht er nur noch 2,0 Prozent aus.

Es ist wünschenswert, daß die neue Bundesregierung einige der in jüngster Zeit neugebildeten kleineren Mi-

nisterien sowie die in jüngerer Zeit geschaffenen Plan-
stellen für Minister, Staatssekretäre und Parlamentarische Staatssekretäre wieder abschafft. Viel wichtiger ist
jedoch die Zusammenlegung der beiden bisherigen Ministerien für Wirtschaft und für Forschung – möglicherweise auch der Reste des bisherigen Postministeriums –
und die Umgestaltung des vereinigten Hauses zu einem
starken *Ministerium für Forschung, Technologie und
Industrie.*

Gewiß werden einige Marktideologen und die F.D.P.
eine solche Neuerung ablehnen. Aber sie müssen sich
entgegenhalten lassen, daß die amerikanische und die
japanische Industrie uns niemals auf so vielen Feldern
der Hoch- und Großtechnologie hätte abhängen können, wenn es dort nicht eine sehr konsequente Förderung gäbe, in den USA meist durch das Pentagon, in
Japan durch das legendäre MITI (Ministry for Trade and
Industry).

Moderne Industriepolitik darf nicht bedeuten, die
Großforschung dem Wettbewerb zwischen Privatunter-
nehmen anheimzustellen; nur die allergrößten können
dort mithalten, und selbst die ganz großen bedürfen oft
genug politischer Anstöße und staatlicher Förderung.
Zwar entfällt nur noch ein Drittel unserer Arbeitsplätze
auf die Güter schaffenden Industrien, und ihr Anteil
wird auf mittlere Sicht weiter abnehmen. Hier liegt aber
auch der Kern unserer Arbeitslosigkeit. Anzahl, Qualität und Produktivität vieler Arbeitsplätze und das Lohn-
niveau *aller* Arbeitsplätze werden künftig in steigendem
Maße davon bestimmt werden, ob unsere Forschung in
den staatlich finanzierten Großforschungsanlagen und

in der Industrie sowie unsere industriellen und gewerblichen Entwicklungslabors sich den internationalen Spitzenrang zurückerobern können, den wir in den achtziger Jahren verloren haben, weil wir der Versuchung erlegen sind, auf alten Lorbeeren auszuruhen.

Die über Jahre sich erstreckende sträfliche Vernachlässigung des Forschungsetats durch die Bundesregierung muß umgekehrt werden. Eine auf lange Frist angelegte steuerliche Begünstigung von Forschungen und Entwicklungen der Unternehmen ist dringend geboten. Die leichtfertig beseitigten Lohnzuschüsse für Forschungs- und Entwicklungsvorhaben mittelständischer Unternehmen müssen wiederhergestellt werden. Unsere Grundlagenforscher, seien sie an Universitäten tätig oder in Großforschungseinrichtungen oder in Instituten der Max-Planck-Gesellschaft, müssen ermutigt werden, viel enger als bisher mit privatwirtschaftlichen Unternehmen zusammenzuarbeiten. Sie müssen auch ermutigt werden, die in Deutschland traditionell starren Grenzen zwischen Grundlagenforschung und angewandter Wissenschaft und Forschung zu beseitigen; in anderen Ländern gibt es dafür schon längst innovationsproduktive Beispiele.

Die neue Bundesregierung muß insgesamt die entschlossene und effiziente Förderung der Technologien des 21. Jahrhunderts zu einem ihrer kardinalen Vorhaben machen. Davon sind zwar keine kurzfristigen Entlastungen des Arbeitsmarktes zu erwarten, wohl aber mittel- und langfristig entscheidende Impulse für neue Arbeitsplätze und damit die Wahrung unseres Lohn- und sozialen Sicherheitsniveaus.

Das neue Ministerium für Forschung, Technologie und Industrie steht vor der gewaltigen Aufgabe, die deutschen Versäumnisse von anderthalb Jahrzehnten aufzuholen. Dazu gehört auch, die aus Angstpsychosen entstandene Fortschrittsfeindlichkeit großer Teile unserer Gesellschaft zu überwinden. Im Wettbewerb mit den USA, Japan und einigen Billiglohnländern sind wir mit unseren Produkten im Bereich der allgemeinen Elektronik, der Halbleiter, der Informationstechnologie, der Endgeräte und der Unterhaltungsgeräte weit zurückgefallen. Infolgedessen sind nicht so viel neue Arbeitsplätze entstanden, wie nötig gewesen wären, um die in den herkömmlichen Industrien verlorengegangenen Arbeitsplätze zu ersetzen. Daß wir im technologischen Wettbewerb mit den USA und Japan erheblich zurückgefallen sind, erkennt man unter anderem an der schwindenden Zahl der von Deutschen angemeldeten internationalen Patente. Der geringere Anteil, den Forschung und Entwicklung an unserem Sozialprodukt haben, ist kennzeichnend.

Inzwischen haben die meisten Deutschen zwar verstanden, daß technologisches Nullwachstum für unsere international verflochtene Volkswirtschaft nicht zum Glück, sondern zur Arbeitslosigkeit führt. Gleichwohl werden – auch von einigen Medien – neue, törichte Ängste geschürt, sei es auf dem weiten Feld der Gentechnik oder auch nur gegen die Elektrifizierung von Eisenbahnstrecken.

In folgenden Bereichen erscheint mir eine schnelle Abschätzung unserer Chancen geboten: Biochemie, Gentechnik für Pharmaprodukte und Medikamente, für

Enzyme, für Saatgut, Photovoltaik und allgemeine
Solartechnologie, Luftfahrt und Avionik, Raumfahrt
(gegenwärtig gefährdet), neue Werkstoffe (darunter
Hochleistungskeramik und Kohlenstoffaserverbund-
werkstoffe), umweltorientierte Materialien, Umwelt-
schutzgeräte, Lasertechnologie, Mikromechanik, medi-
zinische Elektronik (und allgemein die apparative
Medizin), Mikrochirurgie und Endoskopie, medizini-
sche Extrem-Hyperthermie, Optoelektronik, Supralei-
ter, neue Kraftstoffe, neue Verkehrstechniken (wie
Magnet-Schwebebahn, Elektroautos, Solarautos).

Das neue Ministerium wird sich des Rates erstklassi-
ger Wissenschaftler mit internationalem Überblick ver-
sichern müssen, um die für uns zukunftsträchtigen Be-
reiche herauszufinden. Dabei sollten bei kostspieligen
Großprojekten (Pilotprojekten) anders als bisher die
einschlägig tätigen Großunternehmungen in die Finanzierung und damit in das Risiko eingebunden werden.

Ökologie

16. Manche Politiker der Grünen und auch bei den Sozial-
    demokraten möchten alsbald mit einem Umbau unseres
    Steuersystems zugunsten ökologischer Zielsetzungen
    beginnen. Sie betonen mit Recht die Bedeutung, die
    eine ökologische Modernisierung unserer Infrastruk-
    tur, unserer Produkte und unseres Konsums sowohl für
    uns Deutsche selbst als auch für unsere Wettbewerbsfä-
    higkeit in der Welt haben wird. Zu diesem Zweck wird
    gefordert, den Faktor Arbeit steuerlich zu entlasten und

dafür den umweltschädlichen Energieverbrauch insgesamt höher zu besteuern. Dies ist keineswegs un-
vernünftig. Allerdings werden Umweltsteuern nur
minimal zur Entlastung des Haushalts und damit zur
Möglichkeit der Senkung anderer Steuern beitragen.
Denn *wenn* eine Ökosteuer ihren Zweck erfüllt und tatsächlich ein umweltfreundliches Verhalten bei Produ-
zenten und Konsumenten herbeiführt, dann bringt sie
keine zusätzlichen Einnahmen. Wenn die Ökosteuer
aber keine zusätzlichen Staatseinnahmen zur Folge hat,
kann man keine anderen Steuern senken.

Neben der Ökosteuer ist prinzipiell auch die Forderung nach einem Umweltordnungsrecht sinnvoll, das
konkrete Umweltschutzziele (Umweltschädigungsma-
xima) vorgibt; dieses Recht darf aber keinesfalls unge-
zählte «Technische Anweisungen» zur Folge haben.

Trotz meiner prinzipiellen Zustimmung – auch zu
dem Vorschlag, Ökologie als Staatsziel in das Grundgesetz einzufügen – muß ich jedoch *für die Dauer der
Wirtschaftskrise warnen vor jedem substantiellen Ein-
griff in die bestehende Struktur unseres Steuersystems.*
Eben erst hat die Bundesregierung die Mineralölsteuer
(für unverbleites Benzin) von 82 auf 98 Pfennig erhöht,
das heißt um 20 Prozent (die Mehrwertsteuer nicht gerechnet); eine schnelle weitere Erhöhung könnte für
Millionen Berufspendler finanziell zur wirklichen Belastung werden und außerdem für die schwer kämpfende
Automobilindustrie zusätzliche Umsatz- und Beschäfti-
gungseinbußen auslösen. Das gleiche gilt erst recht für
Vorschläge, die darauf hinauslaufen, den weiteren Stra-
ßen- und Autobahnbau einzustellen. Jedenfalls muß

sich der Gesetzgeber 1995 hüten, Kraftstoffe, Energie
allgemein oder bestimmte, die Umwelt belastende
Materialien zusätzlich zu verteuern. Dagegen sind
steuerliche Anreize für die Entwicklung von Kraftstoff-
sparautos, Elektroautos, FCKW-freien Kühlschränken,
recycelbaren (wiederverwendbaren) Materialien usw.
durchaus geboten; sie würden vorerst nur geringe
Steuereinbußen des Staates mit sich bringen.

*Eine ökologisch orientierte Veränderung unseres
Steuersystems muß schrittweise erfolgen. Sie kann kein
positiver Faktor bei der Überwindung der schweren
akuten Erkrankung unserer Wirtschaft sein.*

Wer dies anerkennt, wenn auch vielleicht nur zähne-
knirschend, muß seine Naturschutz- und Umwelt-
schutzideale keineswegs verleugnen. Die Gefährdungen der natürlichen Umwelt gehen sowohl von den
Industrie- als auch von den Entwicklungsländern aus;
dabei ist der bedrohlichste Faktor die Explosion der Be-
völkerungszahlen, die es besonders den Entwicklungsländern schwermacht, die Natur zu erhalten.

Unter den Industriestaaten der Welt liegt Deutschland – genauer gesagt: *West*deutschland –, was erfolgreichen Umweltschutz betrifft, in der Spitzengruppe.
Sobald wir die gegenwärtige Wirtschaftskrise überwunden haben, müssen wir uns mit zusätzlichem Aufwand
der weiteren Vertiefung dieses Themas zuwenden. Es
liegt ja gegenwärtig auch kein Grund zu Angst oder gar
Panik vor. Die Behebung der schweren Umweltschäden
in Ostdeutschland muß dagegen augenblicklich Vorrang genießen.

Das Erbe der Treuhand

17. Weil die Arbeit der Treuhandanstalt (THA) Ende des
Jahres 1994 auslaufen wird, muß alsbald über die unvermeidlichen Konsequenzen entschieden werden. Natürlich wird der Bund die Schulden und Defizite übernehmen müssen, die sich – einschließlich der von der THA
übernommenen, fällig werdenden Bürgschaften, vor allem einschließlich des in Zukunft erforderlichen Auf-
wands für die bisher noch nicht privatisierten Betriebe –
auf weit mehr als die offiziell genannten 275 Mrd. DM
belaufen werden. Es würde mich nicht wundern, wenn
die insgesamt vom Staat zu tragenden Aufwendungen
für die Privatisierung im Osten sich am Ende eher in
Richtung auf eine halbe Billion DM zubewegen werden.

Von den ursprünglich von der THA übernommenen
8000 Unternehmen befanden sich Ende 1993 noch rund
1000 Unternehmen in ihrer Hand, sie beschäftigen derzeit etwa 200 000 Arbeitnehmer. Auch wenn die östlichen Bundesländer für die in ihrem Gebiet ansässigen
restlichen Unternehmen nicht selbst die Verantwortung
übernehmen wollen, sollten jedenfalls alle noch im
THA-Besitz befindlichen Liegenschaften und landwirtschaftlichen Flächen durch Gesetz auf die östlichen Länder übergehen. Das gleiche sollte prinzipiell für bisher
von den sowjetischen Streitkräften und der Nationalen
Volksarmee genutzte Liegenschaften und Flächen gelten (Ausnahmen zugunsten der Bundeswehr müssen im
einzelnen aufgeführt werden).

Die Einschaltung diverser Bundesbehörden wirkt sich
jedenfalls fatal aus. Mit dem ihnen eigenen Instinkt,

Land auf Vorrat zu horten und Verantwortung zu flie-
hen, haben sie bereits viele private Gewerbeansiedlun-
gen, Investitionsprojekte und sogar die Bereitstellung
von Wohnraum verzögert und vereitelt. Ich kenne
mehrere Fälle, wo nicht nur bisher von Sowjettruppen
genutzte Kasernen und Übungsflächen, sondern auch
ehemalige Wohnkomplexe der Sowjets verkommen,
weil Landes- und Bundesbehörden in endlosem Verord-
nungs- und Kompetenzwirrwarr jedes wirtschaftlich
vernünftige Ergebnis verhindern, um das kommunale
Behörden sich vergeblich bemühen. Landtage und Landesregierungen an Ort und Stelle kennen die Sorgen
besser als die weit entfernten Bundesbehörden, sie bren-
nen ihnen auf den Nägeln, und deshalb werden sie diese
Aufgaben schnell lösen, sobald sie dafür die Verantwortung übertragen bekommen.

Daneben wird eine kleine Rest-Verwaltung der THA
nötig sein, um laufend die Erfüllung jener Verpflichtungen zu überprüfen, welche die Erwerber der privatisierten Unternehmen übernommen haben. Auch hier
würde ich jedoch eine Dezentralisation auf die sechs östlichen Landesregierungen vorziehen. Die Landtage im
Osten müssen endlich von jeder Nebenregierung befreit
werden.

Außenwährungspolitik
ist Sache der Bundesregierung

18. «Die Bundesbank ist verpflichtet, die allgemeine Wirtschaftspolitik der Bundesregierung zu unterstützen», so
sagt das Bundesbankgesetz. Wie sie das im einzelnen
macht, ist ihrer Entscheidung überlassen. Was aber,
wenn es keine erkennbare Wirtschaftspolitik der Bundesregierung gibt? Oder wenn die Regierungspolitik innerhalb weniger Jahre von einem Extrem ins andere fällt
und ihre Zielsetzungen wechselt wie die Hemden? Zunächst das Ziel, 1990 verkündet, binnen vier Jahren im
Osten «blühende Landschaften» herzustellen, wofür
eine bloße «Anschubfinanzierung» nötig sei. Statt dessen sodann ein steiler Anstieg der staatlichen Defizite
und der dafür nötigen Schuldenaufnahme bis in Höhen,
wie man sie zuletzt in der Inflation der zwanziger Jahre
gekannt hat. Danach wiederum eine Drehung um
180 Grad: der Versuch zum Sparen an allen Ecken und
Enden.

    Kein Wunder, daß die Bundesbank seit 1989 kaum je
zuverlässig hat wissen können, was mittelfristig die Linie der ökonomischen Politik der Regierung war. Die
Bundesbank hat, auf das Ziel der Stabilität der inländi-
schen Kaufkraft der D-Mark fixiert, bereits 1990 die
Auswirkungen der Regierungspolitik mit den Mitteln
einer harten Geldpolitik hoher Zinsen bekämpft, zunächst unter Karl-Otto Pöhl, stärker noch anschließend
unter Helmut Schlesinger. Zugleich hat sie versucht –
durch regelmäßige Bekanntgabe ihrer Ziele hinsichtlich
der Geldmenge –, den Lohntarifpartnern zu zeigen, wo

die Grenzen für Lohnabschlüsse liegen, über die hinaus
in der Volkswirtschaft nicht genug Geld vorhanden sein
würde. Die Bundesbank führte einen Zweifrontenkrieg,
wobei sie einerseits die Kaufkraft des Geldes zwar einigermaßen stabil gehalten, andererseits aber erheblich
zur konjunkturellen Talfahrt der deutschen Wirtschaft
beigetragen hat. Regierung, Tarifpartner und Bundesbank sind zusammen die Hauptschuldigen an unserer
heutigen Misere. In den letzten zwanzig Jahren haben
diese drei für Wirtschaft und Währung Hauptverant-
wortlichen zu keiner Zeit so miserabel zusammengearbeitet wie nach 1989.

Dabei hat die Bundesbank 1993 sogar versucht, den
durch staatliche Preis- und Gebührenerhöhungen (Mi-
neralöl- und Mehrwertsteueranhebungen, Mietenan-
hebungen im Osten usw.) bewirkten Anstieg der allgemeinen Lebenshaltungskosten, das heißt die Inflationsrate, durch eine lang anhaltende Höchstzinspolitik
wieder einzufangen. Weil ihre realen Zinssätze weit
höher lagen, als der Konjunktur zuträglich war, ist die
Bundesbank aus dem Ausland, besonders von den Part-
nerstaaten des Europäischen Währungssystems, be-
drängt worden, ihre Zinsen zu senken oder die D-Mark
aufzuwerten; die EWS-Partner konnten nämlich wegen des drohenden Abflusses kurzfristiger Gelder in
die Hochzinsen zahlende Bundesrepublik nicht im
Alleingang ihre Geldmarktzinsen senken.

Natürlich hätten sie ihre Währungen innerhalb des
EWS abwerten können; schließlich sahen die Regeln des
EWS Auf- und Abwertungen der Teilnehmer-Währun-
gen vor, diese waren auch in früheren Jahren durchaus

üblich gewesen. Aber aus Prestigedenken sind solche
Abwertungen unterblieben, und eine deutsche Aufwertung unterblieb gleichfalls. Der Bundesbank war das Ergebnis, nämlich die praktische Aufhebung des EWS,
ganz recht – ebenso wie der englischen Regierung. Beide
wollten ihre Geldpolitik ohne Rücksicht auf die Nachbarn handhaben können. Wenn nach der 1993 erfolgten
Freigabe der Wechselkurse praktisch doch eine Aufwertung der D-Mark erfolgt ist und die Bundesbank heute
mit ihrer Zinspolitik eine Abwertung des erreichten hohen Wechselkurses der D-Mark zu verhindern trachtet,
kommt dies zwar deutschen Auslandsurlaubern und
dem Import zugute; zugleich aber verteuert die Bundesbank damit die deutschen Exportwaren für ausländische
Käufer und dämpft durch ihre hohen Zinsen die inländi-
sche Konjunktur.

Niemand hat in den fünfziger Jahren, als das Bundesbankgesetz verabschiedet wurde, im Traum daran gedacht, mit diesem Gesetz die Verantwortung für den
Wechselkurs wie für die gesamte Außenwährungspolitik der Bundesbank zuzuerkennen. Heute dagegen hat
die Bundesbank praktisch allein die Verantwortung für
unseren Wechselkurs, obschon das Gesetz nicht geändert worden ist; ihr Einfluß ist so groß geworden, daß
sie sich ungeniert und öffentlich in die europäische Eini-
gungspolitik einmischt. Die gegenwärtige Bundesregierung hat es der Bundesbank sogar ermöglicht, den
Maastrichter Vertrag mit vier Bedingungen für die
spätere Währungsunion anzureichern, die heute weder
Deutschland selbst noch – mit Ausnahme Luxemburgs –
irgendein anderer Teilnehmerstaat erfüllen kann.

Die Bundesbank kämpft nämlich noch an einer dritten Front: gegen die Europäische Wirtschafts- und Währungsunion. Wenn wir es ernst meinen mit diesem Ziel des von uns ratifizierten Maastrichter Vertrages, dann muß die neue Bundesregierung schnellstens wieder selbst die Außenwährungspolitik in die Hand nehmen, so wie es unter allen fünf früheren Bundeskanzlern und ihren Finanzministern selbstverständlich gewesen ist.

Runder Tisch mit den Sozialpartnern

19. Kanzler Kohl hat den Vorschlag des Solidarpaktes, der seit 1990 auf dem Tisch lag, 1993 endlich aufgegriffen. Aber weder die großen Unternehmens- und Wirtschaftsverbände, weder die Banken und Sparkassen noch die Bundesbank, weder die Arbeitgeberverbände noch die Gewerkschaften, noch die Treuhandanstalt hat Kohl zu seinem Solidarpakt eingeladen, auch nicht die Vertretung der Städte und Gemeinden, sondern lediglich die sechzehn Landesregierungen. Und geredet wurde allein über öffentliche Gelder und deren Verteilung auf Bund und Länder – insgesamt eine Farce, wenn man dafür das Wort Solidarpakt beansprucht. Diejenigen, auf die es ankommt, waren gar nicht dabei. Und diejenigen, die dabei waren, sind nicht solidarisch!

Ich habe seit 1990 mehrfach öffentlich einen Solidarpakt gefordert und auch den notwendigen Inhalt skizziert (zuletzt in «Handeln für Deutschland», S. 97–105). Deshalb will ich hier nur die wichtigsten Grundgedanken wiederholen; ich richte mich heute naturgemäß nicht mehr an Kohl, sondern an die neue Bundesregierung.

Im Blick auf die Lage des Jahres 1995 sollte die neue Bundesregierung einen Kreis der oben Genannten an ihren Tisch bitten. Zunächst sollten alle Beteiligten aus ihrer Sicht die Lage beleuchten und ihre Erwartungen darlegen; die besondere Situation in den östlichen Bundesländern muß dabei eine wichtige Rolle spielen. Daraus wird sich eine kontroverse Diskussion ergeben. Der Bundeskanzler, der hier keine Richtlinienbefugnis hat, wird versuchen, die Diskussion so zu lenken, daß über die wichtigsten Vorschläge, die in der Diskussion auf den Tisch kommen, Einigungen erzielt werden. Später wird er dann in der Regierung die notwendigen Konsequenzen ziehen.

Aus heutiger Sicht sind dies die wichtigsten Punkte für diesen runden Tisch: Um Finanzmittel für vordringliche Aufgaben frei zu machen, müssen wir umschichten; also haben wir die Frage zu beantworten, bei welchen Subventionen für alte, schrumpfende Wirtschaftszweige wir mit einem schrittweisen Abbau beginnen sollen. Welche alten Steuerprivilegien sollen wir abbauen? Welche neuen steuerlichen oder Subventionspräferenzen sind vorübergehend zur Überwindung der tiefen Rezession nötig? Welche sind darüber hinaus mittelfristig nötig als Anreize für einen schnelleren Wirtschaftsaufbau im Osten? Sollen wir uns für zeitlich befristete, abnehmende Lohnsubventionen nach den Vorschlägen von George Akerlof, Lutz Hoffmann oder Wolfram Engels entscheiden? Oder für Horst Sieberts Vorschlag der Qualifizierungsgutscheine? Oder soll es doch bei einseitiger Investitionsförderung bleiben? Vielleicht sind auch die Vorschläge von Karl Schiller oder Tyll Necker vorzuziehen, die – ähnlich wie die Lohnsubventionsvorschläge – an die Wertschöpfung im Unternehmen anknüpfen wollen?

Sofern wir einen dieser Vorschläge für den Osten akzeptieren, stellt sich die Frage, ob wir für die gesamte Bundesrepublik zusätzliche, alsbald wieder wegfallende Investitionsanreize brauchen.

Zum Beispiel eine Steuerbefreiung für nicht ausgeschüttete, sondern reinvestierte Erträge? Welche Anreize brauchen wir zur Förderung von Forschung und Entwicklung? Sind wir uns einig, daß eine Senkung oder zumindest ein Anhalten der Lohnstückkosten (das heißt der Arbeitskosten pro Stück) insgesamt nötig ist? Kann und soll die Regierung dazu ein Anhalten der Sozialversicherungsbeiträge versprechen? Für welchen Zeitraum?

Weil der wichtigste Faktor der Arbeitskosten der Lohntarifvertrag ist: Was kann der Beitrag der Tarifpartner sein? Wie lange können sie stillhalten? Welche Differenzierungen innerhalb eines Tarifvertrages können sie zukünftig vereinbaren? Welche Öffnungsklauseln? Können sie Investivlöhne als Teil zukünftiger Lohnerhöhungen vereinbaren? Ist dies nicht der richtige Zeitpunkt, die Vorschläge von Philipp Rosenthal, Hans-Werner Sinn oder Olaf Sievert praktisch zu verwirklichen? Wie lange wollen wir die Beschäftigungsgesellschaften im Osten fortführen? Wer soll sie in Zukunft bezahlen? Wer soll jene Betriebe und Aufgaben übernehmen, die zurückbleiben, wenn Ende 1994 die Treuhandanstalt ihre Arbeit beendet?

Welche Hilfestellungen kann die Wirtschaft – Unternehmen *und* Gewerkschaften – geben bei dem Vorhaben der großen Vereinfachung von Gesetzen, Verordnungen und Erlassen? Können einige Reglementierungen nicht schon binnen sechs Monaten abgeschafft werden? Welche? Wie wird bei dem gemeinsamen Versuch, das Jahr 1995 zum Jahr der wirtschaftlichen Wende zu machen, die Geldpolitik der Bundesbank aussehen? Kann sie wirklich bei ihren im Vergleich zum Ausland hohen Realzinsen und bei der stetigen Tendenz zur Aufwertung der D-Mark bleiben? Und was wird der zinspolitische Beitrag der Banken und Sparkassen sein, die wegen sehr hoher Zinsspannen 1993 und 1994 ungewöhnlich hohe Gewinne gemacht haben?

Die neue Bundesregierung wäre gut beraten, wenn sie regelmäßig zu derartigen Diskussionsrunden einladen würde. Die erste Runde, zu Beginn der neuen Regierungsperiode, kann ausschlaggebend werden dafür, ob wir 1995 die wirtschaftspolitische Wende schaffen – oder nicht. Dabei wird der neue Finanzminister eine wichtige, den Rahmen seiner Möglichkeiten ausschöpfende Rolle zu spielen haben. Allerdings wird die Hauptrolle bei den Gewerkschaften und den Arbeitgebern liegen. Ohne eine grundlegende, zwischen den Tarifpartnern übereinstimmend ausgehandelte Tendenzvereinbarung wird es keinen echten Solidarpakt für 1995 geben. Dabei sind die Gewerkschaften in der weitaus schwierigeren Situation. Sie müssen, nachdem sie noch in den frühen neunziger Jahren relativ hohe Lohnsteigerungen herausgeholt haben, nunmehr weit zurückstecken.

Die Warnstreiks gegen Ende 1993 und Anfang 1994 waren kein gutes Signal. In der tiefsten Wirtschaftskrise seit vielen Jahrzehnten können wir uns keinen Klassenkampf leisten. Wir können es uns auch nicht leisten, daß Lohnerhöhungen für die Aktiven im Westen zu Lasten weiterer Arbeitsloser im Osten gehen und allgemein zur Verminderung der Arbeitsplätze führen.

Die Arbeitgeber – und ebenso die Politiker in allen Parlamenten des Bundes und der Länder – könnten den Gewerkschaftsführern ihre gegenwärtig sehr diffizile Aufgabe psychologisch wesentlich erleichtern, wenn sie vorübergehend die eigenen Bezüge um 10 Prozent oder auch um 20 Prozent kürzten. *Alle* am runden Tisch beim Bundeskanzler versammelten Spitzenleute sollten gemeinsam solch ein Beispiel geben und zugleich erklären, jeder werde in seinem Bereich nachhaltig dafür eintreten, daß andere Spitzenleute diesem Beispiel folgen. Auf diese Weise könnte übrigens, soweit die Politiker betroffen sind, einiges von dem Schaden wiedergutgemacht werden, der durch eine Reihe von unzulässigen Gehalts- und Bereicherungsaffären von Bundes- und Landesministern in jüngster Zeit angerichtet wurde.

Wenn unter dem Vorsitz des neuen Bundeskanzlers und unter einer Überschrift wie «Solidarpakt» eine gemeinsam getragene und unterzeichnete Absichtserklärung in zehn oder zwölf kurzen Punkten zustande käme, würden Wirtschaft, Industrie, Gewerkschaften und überhaupt alle Bürgerinnen und Bürger endlich wieder wissen, wohin die Reise geht. Auch die drei großen Spitzenverbände DIHT, BDA und BDI würden endlich eine gemeinsame Plattform haben. Die Politik hätte endlich

wieder eine klare wirtschafts- und finanzpolitische
Richtlinie. Und auch die Bundesbank bekäme Klarheit
über das, was die Regierung will und kann.

Wir können den Aufschwung schaffen

Die vorstehenden neunzehn Empfehlungen für die nächste
Bundesregierung mögen keineswegs alle richtig sein, sie
mögen auch nicht vollständig sein. Sie werden auch Wider-
spruch auslösen. Schließlich ist ein ganzes Paket an ökonomischen Entscheidungen notwendig, das von einer Bundesregierung mit vielen Beratern zu erarbeiten und von einer
Bundestagsmehrheit zu billigen und zu beschließen sein
wird. Immerhin sind die Empfehlungen insgesamt kohä-
rent, das heißt, sie hängen voneinander ab und ergänzen
sich gegenseitig. Sie wollen dem doppelten Ziel dienen, das
wir uns 1994 setzen müssen, nämlich zum ersten so schnell
wie möglich die Überwindung der psychologisch und politisch gefährlichen Massenarbeitslosigkeit einzuleiten und
zum zweiten gleichzeitig den Aufbau im Osten zu beschleunigen. Ohne die Überwindung der tiefen Arbeitslosigkeit im
vereinigten Deutschland ist eine Beschleunigung des Aufbaus im Osten unmöglich.

Einen ganz großen psychologischen Schub zugunsten des
Aufbaus im Osten muß die neue Bundesregierung dadurch
bewirken, daß sie endlich Ernst macht mit dem Umzug nach
Berlin. Natürlich geht das nur schrittweise. Aber die ersten
Ministerien sollen schon 1995 umziehen.

Natürlich weiß ich, daß ich als ein nicht zur Wahl oder zur
Wiederwahl stehender Kommentator einen Vorteil gegen-

über den aktiven Politikern habe: Ich kann von keinem
Wähler dafür bestraft werden, daß ich die notwendigen
Wahrheiten ausspreche. Ich kann jedem Opportunismus
entsagen. Ich darf aber auf Eugen Roths Weisheit hoffen:
«Der Kranke traut nur widerwillig dem Arzt, der's schmerz-
los macht und billig. Laßt nie den alten Grundsatz rosten: es
muß a) weh tun, b) was kosten.»

Einen großen Teil der Medizin haben wir in Form der
Vereinigungskosten bereits geschluckt und verdaut. Die
Deutschen im Osten haben längst die großen Illusionen be-
graben, die man ihnen bei den letzten Wahlen gemacht hat,
und die Deutschen im Westen haben längst begriffen, daß
die wirtschaftliche Vereinigung auch für sie weder schmerz-
los noch kostenfrei ist. Jetzt müssen wir alle zusammen einsehen, daß die Überwindung der Arbeitslosigkeit, der Struk-
turkrisen unserer Industrie und der Finanzkrise unseres
Staates weitere Opfer verlangt, vor allem die Preisgabe der
Illusion auf eine baldige Steigerung unserer Nettoeinkommen und ihrer Kaufkraft, unserer realen Nettolöhne. Wir
müssen bereits hoch zufrieden sein, wenn wir es in den
nächsten Jahren schaffen, die realen Nettolöhne nicht
noch weiter absinken zu lassen und gleichwohl unsere Krisen zu überwinden. Daß uns dies gleichzeitig gelingt, die
Überwindung der Krisen *und* ein Inflationsausgleich für die
große Masse aller Einkommen, ist aber noch lange nicht sicher.

Was den Osten Deutschlands betrifft, erscheinen mir
heute einige kardinale Fehler, die man seit 1989 gemacht
hat, nicht mehr umkehrbar. Dazu gehören die Fehler bei der
Währungsumstellung, der in sich widersprüchliche Auftrag
an die Treuhandanstalt – sie hat den größten Teil der Be-

triebe nach altem Rezept bereits abgewickelt – und die inve-
stitionshemmenden Regelungen des Einigungsvertrages
nach dem Grundsatz Rückerstattung vor Entschädigung.
Weil inzwischen ein Teil der fraglichen Grundstücke und
Immobilien an die früheren Besitzer oder deren Erben zu-
rückgegeben worden ist, würde eine Umkehr der Regelung
das Gleichheitsprinzip des Grundgesetzes verletzen.

Ebenfalls nicht umkehrbar, jedenfalls einstweilen nicht,
ist der weitgehende Verlust der Absatzmärkte, die der Industrie der ehemaligen DDR im Raum des sowjetisch gesteuer-
ten planwirtschaftlichen Rates für gegenseitige Wirtschafts-
hilfe (RGW, im Westen auch Comecon genannt) bis 1989
zur Verfügung standen. Infolge der politischen und ökonomischen Umstellungen gibt es in den heute wieder souveränen Staaten in Osteuropa, auf der Balkanhalbinsel und im
Osten Mitteleuropas ausschließlich zwei- und dreistellige
Inflationsraten, Leistungsbilanzdefizite, Devisenknappheit,
Wirtschaftsschrumpfung und eine hohe Arbeitslosigkeit.
Allein Polen, Ungarn und die Tschechische Republik scheinen den Beginn eines wirtschaftlichen Wiederaufstiegs erreicht zu haben.

Der wirtschaftliche Wiederaufstieg östlich der Oder und
des Bayerischen Waldes wird sich allerdings sehr viel lang-
samer vollziehen als in den östlichen Bundesländern; denn
den Polen und den Tschechen fehlen die großen Transfers
aus dem Westen, die ausländischen Investitionen und Kre-
dite bleiben relativ gering, und auch deutsche Unternehmen
sind angesichts der Krise im eigenen Hause zurückhaltend.
Allerdings haben die ostmitteleuropäischen Volkswirtschaf-
ten einen großen Vorteil gegenüber Sachsen und Brandenburg oder gegenüber dem Westen insgesamt: Ihre Löhne

sind unvergleichlich niedrig, infolgedessen auch die Arbeitskosten im allgemeinen und die industriellen Lohnstückkosten im besonderen. Es handelt sich um aufstrebende Niedriglohnländer vor unserer Haustür. Sie sind in der Lage, einfache industrielle Produkte (und Zulieferungen für unsere eigenen komplexeren Industrieprodukte) zu konkurrenzlos niedrigen Preisen anbieten zu können. Infolgedessen werden in Zukunft manche Produktionen aus Deutschland nach Polen, in die Tschechische Republik, nach Ungarn und in die Slowakei verlagert werden. Dadurch werden dort neue Arbeitsplätze entstehen und deutsche Arbeitsplätze verlorengehen.

Trotzdem wäre es ein skandalöser Verstoß gegen die Prinzipien der Moral und der guten Nachbarschaft, wenn wir oder wenn die Europäische Union zum Schutz unserer eigenen Industrien und Arbeitsplätze weiterhin Schutzmauern gegen den Import von Gütern aus jenen neuen marktwirtschaftlichen Demokratien errichten. Diese Staaten sind dringend auf den Erfolg ihres politischen und wirtschaftlichen Umbaus angewiesen. Da sie in einigen Jahren Mitglieder der Europäischen Union werden sollen, ist es schon heute unser dringendes politisches *und* wirtschaftliches Interesse, daß sie wirtschaftlich gesunden. Deshalb müssen wir auf Protektionismus verzichten. Um so wichtiger ist es für uns, einfache Produkte durch solche zu ersetzen, die in den Niedriglohnländern einstweilen noch nicht hergestellt werden können.

Nicht umkehrbar ist zuletzt auch die Tatsache, daß nachfolgende Generationen die Verzinsung und Tilgung der gewaltigen Schulden des Staates und seiner gesamtdeutschen Hypothek zu erwirtschaften haben. Dabei ist es «durchaus vernünftig, die finanzielle Last der Jahrhundertaufgabe der Wiedervereinigung mehreren Generationen aufzubürden... Die künftigen Generationen werden dafür auch den Nutzen der Vereinigung genießen können» (Karl Schiller).

Freilich muß der weitere Anstieg der jährlichen Neuverschuldung der öffentlichen Hände gebremst werden, sobald wir die Arbeitslosigkeitskrise überwunden haben. Auf keinen Fall dürfen wir auf die Dauer ein Kapitalimportland bleiben. Früher waren wir der zweitgrößte Kapitalexporteur der Weltwirtschaft, heute hängen wir in gefährlichem Maße vom Vertrauen des Auslands ab. Sollten wir die Kreditwürdigkeit unseres Staates und unserer Wirtschaft durch ökonomisches Fehlverhalten oder durch innen- oder außenpolitische Dummheiten verspielen, könnten wir in Teufels Küche kommen. Auch deshalb bedürfen wir der politischen und ökonomischen Disziplin.

Mindestens ebensosehr bedürfen wir aber der ökonomischen Innovation – und zwar nicht bloß in der weiteren Zukunft, sondern umgehend. Diese Erneuerung ist ganz überwiegend eine Aufgabe unserer Unternehmen, der Staat und die Gewerkschaften können nur Hilfestellungen geben. Wir brauchen neue Entwicklungen und neue Produkte; wir müssen uns endlich wieder mehr um die außereuropäischen Absatzmärkte kümmern; wir brauchen viele neue Formen der Arbeitsorganisation. Wir brauchen auch neue Unternehmen mit neuen Ideen. Auf längere Sicht wird die Mehrzahl neuer Arbeitsplätze nicht in der Industrie und im produzierenden Gewerbe entstehen, sondern in dem schon heute viel größeren Bereich der Dienstleistungen aller Art. Wir müssen junge Leute ermutigen, sich selbständig zu machen, und wir müssen ihnen dabei helfen.

Wir können den Aufschwung schaffen. Ein großer Umschwung in der deutschen Volkswirtschaft ist durchaus möglich – *wenn* die Politik die Rolle des Schrittmachers übernimmt und die notwendigen Signale gibt. Unsere Nachbarn in Europa rechnen damit, daß uns der Aufschwung gelingt – wieso rechnen wir selbst nicht damit?

In Wahrheit sind die meisten Deutschen heute nicht weniger tüchtig und fähig, als unsere Eltern es nach 1949 gewesen sind. Als Bürgerinnen und Bürger können wir die anstehenden Entscheidungen des Staates zwar nicht selber treffen, auch nicht die großen Entscheidungen der Unternehmen, deren Arbeitnehmer wir sind. Wohl aber sind wir zu einer großen Richtungsentscheidung aufgerufen. Wir können unsere Stimmen an eine Protestpartei wegwerfen, an eine extreme Randpartei links oder rechts. Nur ist von denen keine ökonomische Wende zu erwarten.

Deshalb müssen wir abwägen, welche der beiden großen Volksparteien am ehesten Gewähr dafür bietet, daß das Ruder der Wirtschaft 1995 herumgeworfen wird. Keine von beiden wird uns uneingeschränkt gefallen. Aber wir werden genau hinhören, wer die notwendigen Wahrheiten sagt und wer bloß schwadroniert.

Sozialpolitischer Ausblick auf das nächste Jahrzehnt

Wegen der notwendigen Wahrheiten ist das ökonomische Kapitel ein Schwerpunkt dieses Buches geworden. Ich will das Kapitel aber nicht abschließen ohne eine kurze Betrachtung über die zukünftige Rolle der Arbeit in unserem Leben.

Manche Theoretiker hoffen, daß gegen Ende dieses Jahr-
zehnts, am Beginn des neuen Jahrhunderts viele Menschen
bereit sein werden, auf einen erheblichen Teil ihres bisherigen Lebensstandards zu verzichten; dafür könnten sie sich
eine erhebliche Verkürzung ihrer normalen Arbeitszeit pro
Woche oder auch pro Jahr einhandeln.

Wenn in Zukunft zum Beispiel vier Menschen sich in die
gleiche Arbeit teilten, die bisher von drei Menschen geleistet wurde, so müßten die vier zusammen den gleichen Be-
trag an Steuern und Sozialversicherungsbeiträgen aufbrin-
gen wie bisher die drei, weil der Staat zur Finanzierung der
sozialen Sicherheitsnetze auch in Zukunft nicht auf Einnahmen der Sozialversicherungen und des Steuerfiskus
verzichten kann. Weil aber bei einem um ein Viertel ver-
ringerten Arbeitseinkommen die Steuern und Beiträge
proportional stärker sinken als Lohn oder Gehalt, wären
eine stärkere Steuerprogression und niedrigere Steuer- und
Beitragsfreibeträge notwendig. Grundsätzlich böte ein solches Modell weder für die öffentlichen Finanzen noch für
die Organisation der Arbeit unüberwindliche Schwierigkeiten. Es könnte uns die Sorge nehmen, der modernen Gesellschaft gingen die bezahlte Arbeit oder die Arbeitgeber
aus.

Es ist jedoch unwahrscheinlich, daß viele Menschen sich
dauerhaft auf ein solches Modell einlassen wollen. Wenn
zum Beispiel Tausende bei VW kürzere Arbeitszeiten und
geringeres Einkommen akzeptiert haben, so haben sie das
nicht getan, um anderen Menschen Arbeit zu verschaffen –
das ist ja auch gar nicht geschehen –, sondern weil sie sich
ihren eigenen Arbeitsplatz erhalten wollen und hoffen, daß
sie später, in besseren Zeiten, wieder voll arbeiten und voll

verdienen werden. Die Erhaltung des eigenen Arbeitsplatzes war das entscheidende Motiv.

Ob dagegen die Arbeitnehmer der modernen Gesellschaft allgemein und dauerhaft mit einem Dreiviertel-Arbeitsplatz zufrieden wären, auf dem sie etwas weniger als drei Viertel ihres bisherigen Nettoeinkommens verdienen, das ist eine gegenwärtig nicht zu beantwortende Frage. Es ist durchaus auch die gegenteilige Antwort denkbar: daß nämlich die Arbeitsplatzbesitzer ihren bisherigen Lebensstandard hartnäckig verteidigen werden – abgesehen vielleicht von manchen Hochverdienenden, manchen jungen, kinderlosen Arbeitnehmern und manchen Frauen. Es könnte also durchaus sein, daß eine Mehrheit (nicht notwendigerweise eine Mehrheit der Frauen) am Prinzip des Vollarbeitsplatzes festhalten möchte, insbesondere dann, wenn wirtschaftliche und soziale Notstände den Gesetzgeber zu noch größeren Abzügen vom Bruttolohn zwingen sollten, als dies bereits heute der Fall ist.

Dann bleibt aber die Frage: Wie finden die Sockel-Arbeitslosen wieder Arbeit? Tatsächlich ist in allen Industrieländern Europas nach jeder Rezession seit 1974 jedesmal ein höherer Sockel von Arbeitslosigkeit zurückgeblieben. Nach Überwindung der rezessionsbedingten Arbeitslosigkeit zeigte sich überall und jedesmal das gleiche Phänomen: Einerseits haben Gesellschaft und Wirtschaft gelernt, mit weniger Arbeitskräften auszukommen und gleichwohl Aufschwung und Wirtschaftswachstum zu erreichen. Andererseits haben die Arbeitsplatzbesitzer (und ihre Gewerkschaften) nach alter Gewohnheit Bruttolohnerhöhungen durchgesetzt, welche die Arbeitgeber zu weiterer Rationalisierung gezwungen und dadurch die Schaffung neuer Ar-

beitsplätze be- oder verhindert haben. Die Gewerkschaften
haben sich im Konfliktfall eher für die Interessen der aktiven
Arbeitsplatzbesitzer als für die Interessen der Arbeitsu-
chenden eingesetzt; eines Tages könnten die Gewerkschaften in innere Konflikte mit sich selbst geraten, denn die
morgen arbeitslos werdenden Kollegen bleiben ja Kollegen.

Der Ausweg aus dem Dilemma, den die Gesellschaft
Amerikas beschritten hat, ist nicht sehr einladend. Dort haben die Gewerkschaften viel von ihrer Einflußmacht und
Hebelkraft verloren. Es sind infolgedessen zum Teil nied-
rigstbezahlte Arbeitsplätze entstanden, und man spricht von
der neuen gesellschaftlichen Gruppe der «working poor».
Ließen wir uns in Europa auf dieses Modell ein, würden unsere im Vergleich zu den USA sehr viel höheren sozialen
Maßstäbe uns zu erheblich größeren Ausgaben für Sozialhilfe, Wohngeld usw. und damit zu höherer Steuer- oder
Abgabenbelastung der durchschnittlichen Arbeitsplatzbesitzer zwingen. Es ist aber nicht auszuschließen, daß die
europäischen Gesellschaften diesen Weg gehen werden.

Angesichts solcher Perspektiven würde uns ein «Grund-
recht auf Arbeit» im Grundgesetz nichts nützen. Denn der
Staat, der solcher Verpflichtung gemäß handeln wollte,
müßte Millionen Erwerbspersonen zwingen, mit niedrigbe-
zahlten Arbeitsplätzen vorlieb zu nehmen. Die dann produ-
zierten Leistungen wären nur zum Teil marktfähig und
profitabel verkäuflich. Der Staat müßte sich also die Finanzierung über höhere Steuern und Abgaben beschaffen: Die
Katze bisse sich in den Schwanz.

Ein – vielleicht utopischer – Ausweg könnte darin gefun-
den werden, daß es dem Staat, den Politikern, Arbeitgebern
und Gewerkschaften, Kirchen, Universitäten und Medien in

einer großangelegten und über lange Zeit durchgehaltenen
gemeinsamen Anstrengung gelänge, zwecks dauerhafter
Beseitigung der Sockelarbeitslosigkeit die Menschen davon
zu überzeugen, daß es menschlich sinnvoll ist, einen größeren Teil des Lebens als bisher der eigenen Familie, den Kindern, den Eltern, den Enkeln, der Freizeit, der Muße, dem
Lesen oder den eigenen Hobbys zuzuwenden – und dafür
einen Einkommensverzicht in Kauf zu nehmen, der finanziell tragbar erscheint.

Dabei darf die Arbeit nicht abgewertet werden! Es bliebe
auch dann für die meisten erforderlich, sich beruflich zu
qualifizieren. Es bliebe auch dann eine Differenzierung der
Einkommen nach der individuellen Leistung geboten. Es
blieben auch dann soziale Sicherungsnetze und deren Finanzierung durch Steuern und Abgaben notwendig. Es bliebe
auch dann wichtig, zwischen den gesetzlichen Fürsorgelei-
stungen und den Löhnen der Aktiven einen ausreichenden
Abstand zu wahren, damit die Versuchung für Egoisten
nicht allzu groß wird, die anderen für sich arbeiten zu lassen. Und, nicht zu vergessen: Wegen der Überalterung
unserer Gesellschaft, in der immer weniger junge Aktive
immer mehr Alten gegenüberstehen, bliebe es selbstverständlich auch bei solchen Modellen unerläßlich, mehr Jahre
als gegenwärtig aktiv zu arbeiten und dadurch die Finanzierung der Renten zu ermöglichen.

Aber weder in diesem noch im nächsten Jahr steht eine
Grundentscheidung über eine Neuverteilung der Arbeit an.
1995 kommt es erst einmal auf die Lösung unserer akuten
Probleme an; wer sie mit der Lösung der hier geschilderten
langfristigen Probleme unserer Gesellschaft vermischt, ver-
kompliziert die Sache und könnte auf der ganzen Linie

scheitern. Danach jedoch wird eine grundlegende sozialpolitische Bestandsaufnahme fällig.

Eines aber sollte klar sein: Auch wenn das Alte Testament uns verheißen hat, wir müßten unser Brot im Schweiße unseres Angesichts verdienen, so bleibt Arbeit doch ein wesentlicher Teil unserer Lebenserfüllung und unserer Selbstverwirklichung. Arbeit muß Freude machen, sie muß Anlaß bieten, auf die eigene Leistung stolz zu sein.

Deshalb ist es auch nötig, daß nicht nur die Gewerkschaft und der Betriebsrat das Unternehmen oder die Betriebsleitung berät und kontrolliert, sondern jeder Arbeitende selbst muß an den vielen kleinen und großen technischen und organisatorischen Entscheidungen beteiligt sein, die den modernen Arbeitsprozeß bestimmen. Das gilt für die Arbeit in den Büros, in den Werkhallen und selbst am Fließband. «Selbstbestätigung gehört nicht weniger zur Lebensqualität als reine Luft, giftfreie Nahrungsmittel und eine intakte Erholungslandschaft» (Hans Matthöfer). Gruppenarbeit, Mitbestimmung über Organisation und Ablauf der Arbeit am eigenen Arbeitsplatz und Mitverantwortung sind in jeder Gesellschaft möglich. Sie sind sittlich geboten. Je mehr unsere Wirtschaft sich von industrieller Massenproduktion auf moderne Dienstleistungen umstellt, um so größer werden die Chancen für eine intelligente, verantwortungsbereite Mitbestimmung des einzelnen. Dies muß gemeint sein, wenn von Humanisierung der Arbeitswelt geredet wird. Wer dies nicht für möglich hält, wer dies gar ablehnt, ist ein Reaktionär.

III

Der innere Friede
Wir müssen ihn immer wieder
aufs neue stiften

Die Versuche, die Utopien von Marx, Lenin und Mao Zedong tatsächlich zu verwirklichen, haben Millionen Menschen das Leben gekostet; die verbrecherische Ideologie Hitlers brachte millionenfaches Leid über die Menschen. In der Verwirklichung der kommunistischen wie der national-sozialistischen Ideologie führte die Gier nach Macht schnell in den Irrsinn. Heute sind all diese unheilvollen Utopien und Ideologien diskreditiert.

Aber was sollen Menschen glauben und als Sinn ihres Lebens ansehen, die sich von der Religion ihrer Vorfahren abgewandt haben? In allen Völkern und Staaten Europas, die jüngst in der Lage waren, sich von jahrzehntelanger kommunistischer Diktatur und Ideologie zu befreien, klammern sich viele an ihre ethnische oder nationale Identität; manche geraten dabei in gefährliche nationalistische Übertreibungen, in einen unheilvollen Fundamentalismus. Zumal in Zeiten der Not hat es dergleichen in Europa schon öfter gegeben – auch in Deutschland.

Bei uns macht sich heute abermals Verwirrung breit. Die wirtschaftliche Lage hat Sorgen und Ängste ausgelöst, und viele fühlen sich von der Bundesregierung und von der Politik insgesamt im Stich gelassen. Die einen suchen ihr Heil in übersteigertem Nationalismus, die anderen flüchten in die Geborgenheit einer Sekte oder Gruppe. In allen diesen Cliquen wächst der Hang zum Fundamentalismus – besonders wenn die Gruppe durch Aktionismus und Gewalttätigkeit den geistig Anspruchslosen ein Surrogat der Selbstbestätigung verschafft.

Solch gruppenhafter Fundamentalismus, der keine Rücksicht auf andere und auf Gesetze nimmt, sittliche Normen verachtet und in dieser Mißachtung noch Befriedigung findet, ist nicht nur auf der äußersten Rechten, sondern immer noch auch auf der äußersten Linken zu finden. Die Restbestände der inzwischen älter gewordenen RAF und anderer gewaltbereiter Gruppierungen sind immer noch kaum weniger gefährlich als manche Skinheads; die allerdings haben im Gegensatz zu den extrem linken Gewalttätern einstweilen noch keine ausgeformte Ideologie entwickelt.

Es handelt sich zwar nicht um eine deutsche Besonderheit, wir finden dergleichen auch in anderen Ländern, auch in solchen, die im Gegensatz zu uns auf eine lange rechtsstaatliche und demokratische Tradition zurückblicken können. Aber in Deutschland gehen von antidemokratischen Gruppen besonders große Gefahren aus – eben weil bei uns die rechtsstaatliche Tradition keineswegs über jedweden Zweifel erhaben ist. So ist nicht zu verkennen, daß manche Deutsche sich nicht aus rational begründeter oder auch aus emotionaler Sorge um die natürliche Umwelt der zunächst als «neue soziale Bewegung» angetretenen Partei der Grünen zugewandt haben, sondern weil deren ursprünglicher Kampf gegen fast alle gesellschaftlichen, staatlichen und wirtschaftlichen Institutionen ihnen eine neue «alternative» Plattform für fundamentale Opposition verschaffte; sie haben sich ja selbst als Fundamentalisten, als «Fundis» bezeichnet – das Gruppenerlebnis kam hinzu.

Letztlich ist die Tradition der Aufklärung in Deutschland immer noch nicht stark genug, trotz Kant, Lessing und Schiller oder auch später Gustav Radbruch und Karl Popper. Immer noch und immer wieder erwarten allzu viele Deutsche von der Politik «Sinn, Geborgenheit und festen Grund» (Joachim Fest), doch die Politik kann diese Sehnsucht natürlich nicht befriedigen.

Versöhnung mit uns selbst

Es ist für uns Deutsche aufgrund unserer Erziehungsdefizite und wegen mangelnder Erfahrung mit den Selbststeuerungsprozessen einer demokratisch verfaßten Gesellschaft offenbar immer noch schwer, uns auf eine pragmatische Politik der schrittweisen Veränderungen einzulassen. Immer noch gibt es zu viele unter uns, für die die praktische Vernunft keinen Glanz hat und die statt dessen ihre Hoffnung auf einen großen, umfassenden Entwurf setzen, auf eine Utopie, eine Vision – oder wenigstens doch auf einen radikalen, tiefgreifenden Wandel. Wir haben in der Tat in den letzten drei Generationen dreimal einen radikalen Wandel erlebt: 1918/19, 1933, 1945/49 – und die Deutschen im Osten ein viertes Mal 1989. Reichlich viel für ein einziges Jahrhundert! Dennoch hoffen einige Extremisten in Deutschland – rechts wie links – noch einmal auf eine radikale Umwälzung und fühlen sich berufen, sie herbeizuführen.

Der glückliche Wegfall eines bis 1989 gewohnten Feindbildes in Verbindung mit einem mittleren wirtschaftlichen
Rückschlag läßt viele daran zweifeln, ob denn die zweite
deutsche Demokratie auf dem richtigen Wege sei, ob wir
denn nicht völlig andere Wege beschreiten müßten. Die
naive Idealisierung der Demokratie, die doch in Wirklichkeit immer fehlbares Menschenwerk bleiben muß, hat ihnen den Blick dafür verstellt, daß größtmögliche ökonomische Sicherheit des einzelnen und größtmögliche Freiheit
des einzelnen sich gegenseitig ausschließen. Daß wir immer wieder neu nach einem erträglichen Gleichgewicht
zwischen Freiheit und Sicherheit, zwischen «Freiheit und
Ordnung» (Eduard Heimann) suchen müssen.

Manche haben vor allem oder allein im wachsenden
Wohlstand die Rechtfertigung der Demokratie gesehen.
Jetzt, wo in Westdeutschland der Wohlstand eine Zeitlang
nicht wachsen kann, fangen sie an, die bei weitem human-
ste und vernünftigste Form von Staat und Gesellschaft zu
bezweifeln und den Feinden der Demokratie ihre Hand zu
reichen. Das materialistische Wohlstandsdenken hat bei
manchen den Sinn für notwendige sittliche Normen er-
drückt.

Gleichzeitig nutzen andere die Chance, die Nichtanpas-
sung an die Wirklichkeit und abermals Utopien zu propagieren. Sie selbst verstehen weder die Wirklichkeit und
ihre Geschichte, noch wollen sie verstehen, daß eine Verwirklichung ihrer Utopie die Freiheit des einzelnen zerstören würde. Die offene Gesellschaft hat viele Feinde (Karl
Popper), sie läßt ihren Feinden zwangsläufig viel freien
Raum. Sie kann deshalb nur bestehen, wenn eine große
Mehrheit an den demokratischen Tugenden festhält und

wenn sich die einzelnen ihrer Verantwortung für das Ganze
bewußt bleiben.

In Zeiten großer Arbeitslosigkeit und wirtschaftlicher
Angst kann ein prophetischer Satz von Karl Marx erneut
seine Bedeutung erweisen: Das gesellschaftliche, das ökonomische Sein des Menschen bestimmt sein Bewußtsein. Der
ökonomische Niedergang Deutschlands gegen Ende der
Weimarer Epoche hat viele Deutsche in die Irre geführt, so
daß sie trotz einer guten Reichsverfassung die Demokratie
abgewählt haben. Heute sind zum zweitenmal manche in
Versuchung, ihre Stimme den Nichtdemokraten links und
rechts zu geben; unser gutes Grundgesetz wäre auf die
Dauer keine Barriere gegen die Torheit der Wähler. Ich bin
nicht übermäßig ängstlich, aber ich sehe deutlich die Möglichkeit, daß wir 1994 den ersten Schritt in die falsche Richtung tun könnten.

Ebenso große Sorgen macht mir das schwere «Ausmaß
der Kränkungen, in die der Einigungsprozeß eingemündet
ist» (Wolfgang Huber). Allenthalben herrscht ein Klima des
Mißtrauens und der Verdächtigungen, der gegenseitigen
Herabsetzung von Ostdeutschen und Westdeutschen. Angesichts der wirtschaftlichen Krise, die viele Menschen deprimiert, neigt auf beiden Seiten manch einer dazu, Sündenböcke auf der anderen Seite zu suchen und seinen Zorn dort
abzuladen. Weil aber im Wahljahr 1994 nicht die östlichen
oder westlichen Sündenböcke zur Wahl stehen, sondern die
Politiker und die Parteien, konzentriert sich der Zorn auf
sie.

Die Regierungsparteien der Koalition Kohl/Kinkel werden dabei wahrscheinlich am meisten abbekommen, ganz
besonders in den östlichen Bundesländern; aber auch die

Sozialdemokratie kann in Mitleidenschaft gezogen werden.
Wo immer Wählerinnen oder Wähler mit ihrer Stimme in
erster Linie ihrem Zorn und ihrer Enttäuschung Ausdruck
geben möchten, bieten sich gierig die Protestparteien an. Ein
erheblicher Stimmenzuwachs zum Beispiel der kommuni-
stisch geführten PDS, besonders im Osten, erscheint deshalb leider beinahe zwangsläufig.

Stasiakten und Blitzableiter

Die Bonner Regierungskoalition und vornehmlich Kanzler
Kohl selbst, sein Bundeskanzleramt, sein Parteihauptquar-
tier und die Abgeordneten der CDU/CSU erkennen die ihnen drohende Gefahr, die zugleich eine Gefährdung ihrer
Laufbahn als Berufspolitiker ist. Um sich zu retten, haben
sie schon 1993 mit der Konstruktion von Blitzableitern begonnen und im Frühjahr 1994 in starkem Maße versucht,
den Zorn auf andere Personen und Parteien umzulenken,
vornehmlich auf die Sozialdemokratie. Ähnlich wie schon
zu Zeiten Wilhelms II., wie schon in der Weimarer Republik
und wie zuletzt unter Adenauer versuchen sie, führende Sozialdemokraten dem Verdacht auszusetzen, sie hätten das
Vaterland verraten, indem sie mit Agenten und anderen sowjetischen oder deutschen Kommunisten in angeblich un-
zulässiger Weise zusammengearbeitet hätten. Bahr, Böl-
ling, Rau, Stolpe, Vogel, Wehner und andere müssen als
angebliche Prototypen sozialdemokratischer Unzuverläs-
sigkeit herhalten. Für derartige Verdächtigungen bieten
sich Akten aus den Archiven der DDR-deutschen und der
sowjetischen Geheimdienste an, ebenso die Akten des Polit-

büros der SED oder auch Aussagen einzelner Personen aus
den kommunistischen Apparaten, die heute damit Geld verdienen oder ihre eigene Haut retten wollen.

Wie in jeder Diktatur wurden auch in den kommunistischen den Oberen Berichte und Papiere vorgelegt, die in die
herrschende Ideologie paßten und so formuliert waren, wie
die Oberen es hören sollten oder wollten. Da man in Ostberlin wußte, daß Moskau sich Zugang zu fast allen Papieren
der SED und der Stasi verschaffte, kam es dort außerdem
darauf an, was Moskau hören sollte und wie die Führer der
SED sich bei ihren Moskauer Souveränen in das beste Licht
rücken konnten.

Ich habe einen mich persönlich betreffenden Fall dieser
Art erlebt. Ein dem Archiv der SED entstammendes Papier
schien zu bezeugen, ich hätte Erich Honecker 1981, vor Aus-
rufung des Kriegsrechtes in Polen, durch Mittelsmänner,
darunter Manfred Stolpe, sagen lassen, schließlich müßten
die Sowjets in ihrem Bereich für Ordnung sorgen. Ich kann
mir gut vorstellen, zu welchem Zweck eine Äußerung von
mir für das Politbüro der SED derart umfrisiert wurde. Als
zwölf Jahre später das SED-Papier der Enquête-Kommission
des Bundestages bekannt wurde, stürzten sich sogleich Ver-
dächtigungseiferer darauf und verbreiteten den Vorwurf,
ich sei in unerhörter Weise der Freiheit der Polen in den
Rücken gefallen. Natürlich wurde dieser Vorwurf durch die
CDU-freundlichen Medien alsbald allgemein verbreitet;
schließlich hoffte man, hier einen Sozialdemokraten der
Doppelzüngigkeit und Kollaboration mit Moskau überfüh-
ren zu können.

Ein glücklicher Zufall hat diese Absicht vereitelt: die Auf-
zeichnung eines westdeutschen Diplomaten, der mein Ge-

spräch mit den Mittelsmännern dienstlich aufgezeichnet
hatte. Nun sah der Vorgang plötzlich ganz anders aus: Ich
hatte Honecker sagen lassen, Polen habe unsere Sympathie;
was die Sowjets machten, sei eine Sache, eine ganz andere
Sache sei eine Beteiligung von Truppen der DDR an einer
etwaigen bewaffneten Intervention in Polen. Davor hatte
ich Honecker dringend gewarnt.

Nachdem diese amtliche westdeutsche Niederschrift bekannt geworden war, verlief naturgemäß jeder Vorwurf vor
der Enquête-Kommission wie auch vor einem Untersu-
chungsausschuß des brandenburgischen Landtages im
Sande. Papiere der SED und der Stasi sagen bisweilen das
glatte Gegenteil der Wahrheit, zumeist sagen sie weniger als
die Hälfte der Wahrheit. Deshalb habe ich der Enquête-
Kommission dringend geraten, in jedem Fall die amtlichen
Bonner Akten heranzuziehen. Kohls Regierung weigert sich
aber, diese Akten herauszugeben. Statt dessen ist sie selbst
fleißig bemüht, aus den amtlichen Akten der sozialliberalen
Regierung Einzelheiten herauszusuchen und in passenden
Stücken den Medien zur Herabsetzung der Sozialdemokraten anzudienen.

Einige Journalisten sprechen heute mit Recht von einer
Schmutzkampagne. Andere beteiligen sich fleißig daran,
teils weil sie den Sozialdemokraten schaden wollen, teils aus
bloßer Sensationsgier und zwecks Steigerung der Auflage
oder der Einschaltquote. Ein großer Teil des Publikums findet dergleichen zunächst durchaus interessant, um sich danach naserümpfend abzuwenden. Es kann dahin kommen,
daß Kanzler Kohl sich dergestalt um sein persönliches Ansehen bringt.

Sollten seine Herabsetzungen des innenpolitischen

Hauptgegners freilich durchschlagen, wäre die SPD vor die Frage gestellt, ob sie mit ähnlicher Münze zurückzahlen soll. Bisher hat sie recht gelassen und zurückhaltend reagiert und sich im wesentlichen mit Richtigstellungen begnügt; nur vereinzelt sind von sozialdemokratischer Seite ähnliche Kampagnen gestartet worden. Falls Kohl und die CDU/CSU mit ihren Verdächtigungen doch Erfolge erzielen – steter Tropfen höhlt den Stein –, wird die SPD der Versuchung, Gleiches mit Gleichem zu vergelten, möglicherweise nicht widerstehen können. Dann aber würde das Wort von der Schlammschlacht seine volle Berechtigung erfahren – und beide großen Volksparteien würden an Ansehen verlieren.

Der innere Friede ist aber nicht nur durch den Kampf der Parteien gefährdet, sondern vor allem auch durch Mißverständnisse und Mißtrauen zwischen Ost und West. Weil die Mauer in den Köpfen bedrohlich wächst, so Bischof Wolfgang Huber, könnten allmählich drei Sprachen entstehen: Westdeutsch, Ostdeutsch und Gesamtdeutsch. Darüber, wie es wirklich ist, redeten Ostdeutsche wie Westdeutsche nämlich meist nur unter sich. Ich hoffe, Huber hat unrecht mit seiner pessimistischen Prognose, aber ich bin nicht sicher. Recht hat er jedenfalls, wenn er den Westdeutschen empfiehlt, mehr zuzuhören und weniger vorzusagen.

In meinen Augen ist es eine der schlimmsten Sünden gegen den inneren Frieden, wenn westdeutsche Politiker, westdeutsche Medien, westdeutsche Staatsanwaltschaften und Gerichte sich ohne zwingenden Grund zum Ankläger von Ostdeutschen machen, die unter den Bedingungen eines Spitzel- und Zwangssystems leben mußten und die auf die eine oder andere Weise durch alle Fährnisse der Diktatur sich hindurchschlängelnd anderen Menschen geholfen haben, sich gleichfalls hindurchzuwinden oder zu entkommen. Wie ein Richter kürzlich zu Recht gesagt hat, sind viele Täter zugleich auch Opfer gewesen.

Manche der westdeutschen Zeloten scheinen sich einzubilden, sie selbst wären in der gleichen Situation selbstverständlich opferbereite Widerstandskämpfer und Märtyrer gewesen. Es gibt im Westen manche selbststilisierten, eingebildeten Widerstandskämpfer, die in Wahrheit niemals in ihrem Leben vor der Frage gestanden haben, entweder sich anzupassen oder Widerstand zu leisten und dafür zu leiden.

Es gehört zu den rechtsstaatlichen Grundsätzen unserer Demokratie, daß niemand seiner Gesinnung wegen angeklagt und verurteilt werden darf und daß niemand angeklagt und verurteilt werden darf wegen einer Tat, die zu dem Zeitpunkt und in dem Land, in dem sie begangen wurde, nicht mit Strafe bedroht war. Einzelne westdeutsche (und Berliner) Gerichte haben es in den letzten Jahren unternommen, dieses Prinzip zu ersetzen. Weil nach ihrer Rechtsauffassung die zur Tatzeit geltenden DDR-Gesetze in unerträglichem Maße dem allgemeinen Rechtsempfinden widersprachen, haben sie ihren Urteilen ein Recht zugrunde gelegt, das in der DDR nicht gegolten hat. Sie haben sich im Ergebnis eine Rolle angemaßt, die man als Siegerjustiz bezeichnen darf.

Ich kenne Markus Wolf nicht, er ist mir auch nicht von weitem sympathisch; aber es bleibt für mich unfaßbar, daß ein westdeutsches Gericht ihn wegen Spionage gegen die Bundesrepublik verurteilt – was nach westdeutschem Recht als Landesverrat strafbar ist –, obwohl Wolf die ihm zur Last gelegte Tat unzweifelhaft in der DDR begangen hat. Nun wird die Sache nach Karlsruhe gehen – schade, daß dort kein einziger Richter aus dem Osten tätig ist, der seinen Kollegen die hier fällige Anwendung des Gleichheitssatzes erklären könnte. Wenn Ost-Spionage, ausgeübt von Westdeutschen, nicht verfolgt wird, dann darf es gleicherweise auch keine Strafverfolgung von West-Spionage geben, die von Ostdeutschen ausgeübt wurde.

Wichtig ist, daß Verbrechen gegen Leben, Leib und Eigentum angeklagt und verurteilt werden, und zwar strikt nach rechtsstaatlichen Grundsätzen, und das heißt für uns heute: nach dem zur Tatzeit geltenden Recht der ehemaligen DDR. Dagegen sollten – schon wegen der quantitativen Überforderung der Justiz – mindere Straftaten der Verjährung anheimfallen, wie es der Einigungsvertrag mit seiner Dreijahresfrist vorgesehen hat. Damit wird gewiß keine nachträgliche Billigung ausgesprochen, wohl aber eine uferlose, niemanden und auch nicht unser Rechtsempfinden befriedigende Verfolgungskampagne auf die Bestrafung der entscheidenden Verbrechen reduziert.

Wichtig ist zum anderen, daß Machthaber und Drahtzieher der kommunistischen Diktatur auf längere Zeit nicht in öffentliche Ämter und Stellungen berufen werden. Aber dies ist Sache der örtlich zuständigen Instanzen der Kommunen und der Länder – keineswegs Sache der Justiz und auch nicht Aufgabe westdeutscher Politiker oder Medien.

Wichtig ist zum dritten, daß wir alle, in Ost und West, gegenüber Gutgläubigen, gegenüber Mitläufern, auch gegenüber denen, die unbewußt oder bewußt als Handlanger in die Netze der Stasi sich verwickelt haben oder darin verwickelt wurden, daß wir ihnen allen gegenüber Toleranz üben. Damit wird im allgemeinen von den Westdeutschen

weit weniger verlangt als von jenen Ostdeutschen, die selbst
Opfer der Diktatur gewesen sind. «Wir dürfen nicht immer
weiter die Schlachten von gestern schlagen... Denn am
3. Oktober 1990 soll doch eine *neue* Ära begonnen haben» –
so Richard Schröder. Ihm und Marion Gräfin Dönhoff
möchte ich mich anschließen, «weil unser Land Versöhnung
braucht».

Versöhnung heißt nicht, die wissenschaftliche Durch-
leuchtung der Diktatur entbehrlich zu machen. Historiker,
Soziologen, Psychologen, auch Philosophen werden sich
noch lange mit dem Phänomen der kommunistischen Utopie und ihrer grauenhaften Entgleisung befassen. Das zwan-
zigste Jahrhundert mag eines Tages als Saeculum der großen
Verirrungen erscheinen, und Kunst und Literatur werden
sich dieses Stoffes immer wieder annehmen. Unserer eigenen Zeit dagegen würde es guttun, wenn wir unter dem
Schutt kommunistischer – und ebenso nationalsozialisti-
scher – Kulturdiktatur die Werke der wirklichen Kunst her-
aussuchten, um uns unbefangen daran zu bilden und zu er-
freuen und ihnen die Ehre zu erweisen.

Bertolt Brecht wird ein großer Dichter bleiben. Manch
anderer Schriftsteller, auch wenn er der Ideologie anheimgefallen ist, hat gleichwohl Gültiges verfaßt – so, um ein
Beispiel zu geben, Stefan Heym mit seinem «König David
Bericht». Auch einige Maler und Bildhauer der Ulbricht-
und Honecker-Ära werden als bedeutende Künstler bestehen. So haben die Franzosen den in der Hitler-Ära geför-
derten Arno Breker längst als Bildhauer anerkannt; die Polen denken nicht daran, ihren Schriftstellern in den kommunistischen Archiven nachzustöbern, um danach ihre Werke
in Bann zu tun; die Norweger haben die großen Romane

Knut Hamsuns heute wieder nach vorn gestellt. Und wir? Die offene Gesellschaft darf sich von der Diktatur nicht verleiten lassen, Kunstwerke allein nach politischen oder ideologischen Maßstäben zu beurteilen und gleich ihr Zensur zu üben – nur in umgekehrter Richtung und mit subtileren Mitteln.

Brandt und Wehner – ein Fall von Aktenmißbrauch

Noch niemals seit 1945 ist die Offenheit unserer Gesellschaft in angeblich zeitgeschichtlicher Absicht so schamlos mißbraucht worden wie im Falle von Willy Brandt und Herbert Wehner. Medien, Parteien und Regierungspersonen haben Archive dazu benutzt, das Andenken zweier Toter herabzusetzen, um im Wahljahr gegen die Sozialdemokratie Stimmung zu machen. Um der geschichtlichen Wahrheit willen habe ich mein Wissen in dieser Sache Ende Januar in der ZEIT dargelegt. Ich nehme meine dortigen Ausführungen in diesem Buch auf, weil innerer Friede nur möglich ist auf der Grundlage von Tatsachen, nicht aber in einer Atmosphäre unbewiesener Verdächtigungen. «Wer die Gegenwart zur Richterin über die Vergangenheit erhebt, verfehlt die Zukunft», heißt es bei Churchill.

Die deutsche Ostpolitik hat viele Quellen und viele Väter. Einer der Ursprünge war die deutsche Debatte über Stalins März-Note des Jahres 1952 und deren Zurückweisung durch Konrad Adenauer. Die sozialdemokratische Opposition mißtraute Adenauer und seinen Motiven; man müsse vielmehr durch Verhandlungen «ausloten», was an Möglichkei-

ten hinter Moskaus vagen Andeutungen verborgen sein
könnte. Ein Wort des Journalisten Walter Henkels machte
die Runde: «Für den Alten fängt bei Magdeburg die Steppe
an.»

Von 1949 an hatte Kurt Schumacher mit großer Energie
und Beredsamkeit Adenauers Westbindung bekämpft, weil
er fürchtete, sie werde die Potsdamer Aufspaltung der Deutschen und ihres Staatsgebietes verewigen. Schumacher,
dessen außenpolitisches Konzept mir nicht einleuchtete, obschon ich diesen von Krieg und KZ auf das schwerste ge-
zeichneten Mann zutiefst respektierte, ist im Sommer 1952
gestorben. Er hatte die Kommunisten gehaßt – ich habe
seine Rede von den «rotlackierten Faschisten» noch im Ohr.
Uns Sozialdemokraten blieb als Teil des politischen Erbes
Schumachers die Pflicht, alles nur Mögliche zur Wiedervereinigung der Deutschen zu unternehmen. Vier Jahrzehnte
später scheint die Geschichte Adenauer *und* Brandt zugleich
recht zu geben. Doch wäre die Vereinigung ohne den inneren Zerfallsprozeß der Sowjetunion 1990 nicht möglich gewesen.

Gegen Ende der fünfziger Jahre traten Fritz Erler und
Carlo Schmid eine Erkundungsreise zu Chruschtschow an;
sie endete mit einer kalten Dusche. Gleichwohl legte die
SPD 1959 ihren auf die Wiedervereinigung zielenden
Deutschland-Plan vor, der unter Herbert Wehners Vorsitz
von einer kleinen Gruppe von Abgeordneten – darunter
auch mir – ausgearbeitet worden war.

Ein Jahr später hielt Wehner am 30. Juni seine berühmte
Rede, mit der er die Sozialdemokratie endgültig auf die Mitgliedschaft der Bundesrepublik im nordatlantischen Bündnis festlegte. Er hatte inzwischen erkannt, daß unser Stre-

ben nach Vereinigung ohne feste Verankerung im Westen erfolglos bleiben mußte; keine der Westmächte würde uns Deutschen eine Wiederholung von Rapallo erlauben und deshalb auch keine ihnen als «neutralistisch» erscheinende deutsche Ostpolitik. Fritz Erler, Adolf Arndt und andere hatten dies schon vor Wehner verstanden, aber die endgültige Durchsetzung dieser Einsicht ist Wehners Verdienst, der sich mit niemandem abgesprochen hatte. Natürlich stand dabei das eigentliche Ziel der Vereinigung der Deutschen nicht plakativ im Vordergrund, aber es wurde auch nicht aus dem Auge verloren. Wehner war aber keineswegs bloß ein Taktiker, sondern hierin war er Stratege.

In der ersten Hälfte der sechziger Jahre gingen dann die ostpolitischen Anstöße von Egon Bahr aus («Wandel durch Annäherung»), schon damals im Einklang mit dem Regierenden Bürgermeister Willy Brandt. Wenig später gab es verstärkende Anstöße und Denkschriften sowohl aus evangelischen als auch aus katholischen Kreisen. Dazu kam ein ostpolitisch akzentuierter Parteitag der SPD in Dortmund 1966. Ich hatte damals das außenpolitische Referat zu halten.

Zwar war in der großen Koalition von Ende 1966 bis Herbst 1969 unter Bundeskanzler Kiesinger eine ausgeprägt aktive Ost- und Deutschlandpolitik in Bonn innenpolitisch immer noch nicht möglich; wohl aber wurde 1967 im Ministerrat des atlantischen Bündnisses eine später entscheidend wichtige Voraussetzung dafür geschaffen, nämlich in Gestalt der Harmel-Doktrin (Pierre Harmel, damals belgischer Außenminister, führte – zufällig – den Vorsitz): Der Westen streckte der Sowjetunion einerseits die Hand zu Verhandlungen und zur Zusammenarbeit in der Abrüstung entgegen; er ließ aber andererseits keinen Zweifel zu an seinem Willen und seiner Fähigkeit zur Verteidigung und an der Notwendigkeit eines militärischen Gleichgewichts. Brandt war damals Außenminister, Bahr sein Gehilfe; ihr Verdienst am Zustandebringen dieser «Doppelstrategie» à la Harmel war unverkennbar.

Dies also waren die Ursprünge und Bedingungen der deutschen Ostpolitik, wie sie dann von 1969 an durch Willy Brandt als Bundeskanzler mit Hilfe Walter Scheels und Egon Bahrs in großem Stil ins Werk gesetzt wurde. Sie wurde von Herbert Wehner – inzwischen Fraktionsvorsitzender – und von allen Führungspersonen der SPD gegen zähe Opposition von seiten der Union im Bundestag erfolgreich durchgesetzt. Dabei hing ihr Schicksal innenpolitisch mehrfach am seidenen Faden, wie der Mißtrauensantrag gegen Brandt 1972 und 1975 der Versuch, die Schlußakte von Helsinki zu hintertreiben, deutlich gemacht haben.

Den Führungspersonen der damaligen sozialliberalen Koalition war bei alldem völlig klar, daß wir nicht nur des Verständnisses, sondern auch des Einvernehmens mit den westlichen Bündnispartnern und ihres Rückhalts bedurften. Die Westbindung im Bündnis und in der Europäischen Gemeinschaft war unser Standbein, die sich vorantastende Ostpolitik war das Spielbein.

Dies immer wieder der eigenen Fraktion und der Partei klargemacht zu haben, die nach 1968 langsam, aber zunehmend unter den Einfluß der antiamerikanisch gesinnten Studentenbewegung und der neutralistisch gesinnten Friedensbewegung zu geraten drohte, war zum größten Teil Wehners Verdienst. Ihn heute, über zwanzig Jahre später, als Agenten des Ostens zu verdächtigen ist absurd.

Wer die von Wehner von 1966 bis 1969 als gesamtdeutscher Minister von Amts wegen betriebenen – und später von ihm als Fraktionsvorsitzenden fortgesetzten – Freikäufe von Menschen aus der DDR und die damit verbundenen Kontakte mit DDR-Personen, unter ihnen vor allem Rechtsanwalt Wolfgang Vogel, als Hinweis auf Verrat oder auf Erpreßbarkeit auslegen möchte, der soll sich bei Rainer Barzel erkundigen, der diese Praxis zugunsten in großer Not befindlicher Deutscher in der DDR eingeleitet hat.

Natürlich haben sich daraus auch politische Kontakte und Informationen ergeben. Tatsächlich *darf* ein Spitzenpolitiker seine Information nicht auf das Lesen von Zeitungen und den Empfang von Botschaften beschränken – auch kein Spitzenpolitiker der CDU / CSU oder erst recht unserer Verbündeten im Westen hat sich derart beschränkt; die Amerikaner nannten solche persönlichen Verbindungen *backchannels*. Ich selbst habe mich selbstverständlich auch meiner *back-channels* zu ausländischen Staatslenkern und Spitzenpolitikern bedient. Auf diese Weise konnte ich zum Beispiel – trotz meiner Urheberschaft an dem gegen die Sowjetunion gerichteten Nato-Doppelbeschluß, den ich auch in Moskau vehement vertreten habe – ein gutes persönliches Verhältnis zu Breschnew aufrechterhalten.

Über seine Kontakte zu Ostberlin hat mich Herbert Wehner bei Antritt meiner Kanzlerschaft minuziös schriftlich unterrichtet, mündliche Erläuterungen kamen hinzu. Wir sind bis zum Ende im Herbst 1982 bei dieser Praxis geblieben. Übrigens ist im Mai 1974 – entgegen einigen dieser Tage verbreiteten Berichten – *keine* Einladung von Honecker an mich ergangen, schon gar nicht vor Brandts Rücktritt (Willy Brandt scheint hier einem Irrtum oder einem Erinnerungsfehler zu unterliegen).

Das russische Wort von der Troika hat meines Wissens keiner von uns dreien gerne gehört. Schon das Bild war falsch:
Eine Troika von drei Zugpferden bedarf eines Wagenlenkers
– den aber gab es nicht, schon gar nicht in Moskau. Wir
haben uns statt dessen immer wieder verständigt, haben
auch miteinander gerungen, aber uns eben doch verständigt. Natürlich hätte Willy Brandt – solange er Parteivorsit-
zender *und* Kanzler zugleich war – im Notfall das letzte
Wort haben müssen (nach dem Kanzlerwechsel wäre das anders gewesen). Aber nach meiner Erinnerung ist ein solcher
Fall nicht eingetreten.

Wir waren durch unsere Veranlagungen und durch sehr
verschiedene Lebenswege sehr unterschiedlich geprägte
Menschen. Brandt war persönlich zurückhaltend im Ausdruck seiner Argumente und Ziele, oft eher vage, zugleich
war er aber ein hinreißender Redner vor großen Versamm-
lungen. Ich hatte einen – unbedeutenden – Anteil daran, daß
wir ihn 1961 erstmalig als Kanzlerkandidaten an die Stelle
Erich Ollenhauers setzten. Für Willy Brandt wäre ich
durchs Feuer gegangen, und ich habe ihm auch nach der
Bundestagswahl 1965 in einem Konflikt mit Fritz Erler – der
mein politisches Vorbild war und blieb – beigestanden.

Allerdings schwächte sich meine nahezu bedingungslose
Bejahung Brandts während der Notstandsdebatte in der von
mir geleiteten Bundestagsfraktion ab, weil er sich relativ
wenig für die Vorlage der Regierung engagierte, der er selber
angehörte. Während der Kanzlerjahre Brandts trat eine weitere Abkühlung ein, weil er den neu in die SPD einströmen-
den akademischen Nachwuchskräften von links nach meiner
Meinung zu weit entgegenkam und weil er keinem seiner
drei Finanzminister ausreichend half, überbordende finan-

zielle Wünsche abzuwehren. Als er mich im Juli 1972 nach
dem Rücktritt Karl Schillers bat, das Doppelministerium zu
übernehmen, habe ich mich ihm nicht versagt. Aber seinem
Wort an mich «Und dann machen wir beide die nächsten
vier Jahre zusammen» habe ich widersprochen. «Nein, nur
die nächsten vier Monate.» Wir wußten, daß wir im Herbst
Neuwahlen herbeiführen wollten. Willy reagierte betroffen: «Wieso nur diese vier Monate?» Meine Antwort war:
«Weil ich nicht mitverantwortlich sein will, wenn du zuläßt,
daß aus unserer Partei eine Nenni-Partei gemacht wird.»

Seither blieb unser freundschaftliches Verhältnis abgekühlt; gleichwohl bin ich nach dem großen Wahlsieg
Brandts 1972 sein Finanzminister geblieben, teils aus Partei-
disziplin, teils aus Loyalität gegenüber dem Mann. Es ging
ihm nach dem Wahlkampf nicht gut, und er hat an Wehner
und mich die Koalitionsverhandlungen zur Bildung des
neuen Kabinetts weitgehend delegiert. Vor einem Partei-
gremium nannte Brandt mich «unseren ersten Mann im Kabinett». Dies erschwerte leider die Abwehr von Finanzfor-
derungen meiner Kabinettskollegen, ohne daß der Kanzler
mir sonderlich half; allein der Haushalt für 1974 war nach
meiner Meinung um 2,4 Milliarden Mark höher, als mir un-
vermeidlich erschien.

Unser persönliches Verhältnis blieb jedoch intakt bis an
Willy Brandts Lebensende vor zwei Jahren; dies ist durch
mehrere Briefwechsel belegt, auch durch einen Brief von
Brigitte Seebacher-Brandt an mich im Sommer 1992. Als
ich Willy Brandt einige Wochen vor seinem Tode das letzte
Mal besucht habe, schieden wir voneinander als Freunde, die
aus gleichen Motiven für die gleiche Sache gekämpft hatten.
Wenn er selbst 1972 den Eindruck gehabt haben sollte – wie

heute gesagt wird –, ich hätte ihm den Wahlsieg mißgönnt, so ist dies gewiß falsch; nicht im Traum habe ich damals an eine eigene Kanzlerschaft gedacht. Jedenfalls aber war dies 1992 bei ihm genauso vergessen oder abgesunken wie bei mir Willy Brandts Votum gegen den Nato-Doppelbeschluß im Jahre 1983. Wir haben uns 1992 als Freunde empfunden – und ich werde mich auch fürderhin einen Freund Willy Brandts nennen.

Herbert Wehner war ein Mann sehr unausgeglichenen Temperaments. Er konnte stundenlang geduldig sein, aber er konnte auch explodieren – was Willy Brandt nie tat. Ich kannte Wehner seit den späten vierziger Jahren in Hamburg und habe ihn dort viele Male in Gesprächen getroffen, die er – wie andere SPD-Abgeordnete – über ökonomische Fragen mit dem Wirtschaftssenator Schiller führte, der bis 1953 mein Chef war. Wehner, den ich auch des öfteren in seiner Wohnung besuchte, hat mir damals seine Notizen über seine Moskauer Zeit gegeben. Mir ist klargeworden, daß er ständig litt unter seiner Verstrickung in die teilweise ekelhaften und verbrecherischen Machenschaften der Kommunisten gegeneinander. Aber ich wußte, daß Kurt Schumacher ihm vertraute, also habe ich ihm auch vertraut. Tatsächlich kann ich den schwierigen Mann Wehner nur über die vierzig Jahre beurteilen, in denen ich ihn persönlich kannte.

Mein Vertrauen in ihn ist kein einziges Mal enttäuscht worden. 1969 bedrängten er und Brandt mich, ich solle in der neuen sozialliberalen Koalition das Amt des Verteidigungsministers übernehmen. Objektiv war ich – Fritz Erler war tot – unter den Sozialdemokraten dafür wohl am besten geeignet, aber ich hatte zwei Motive, mich dagegen zu wehren. Zum einen war ich sehr gerne Fraktionsvorsitzender, und zum anderen kannte ich die SPD nur zu gut und wußte, daß sich in meiner Partei alsbald linke Kräfte regen würden, die dem «Nachfolger Noskes» Knüppel zwischen die Beine werfen. Schließlich habe ich nachgegeben, aber eine Bedingung gestellt: Herbert Wehner solle nicht weiterhin dem Kabinett angehören, sondern an meiner Stelle die Fraktionsführung übernehmen, um mir dort den Rücken freizuhalten. Wehner (ebenso Brandt) hat das schließlich akzeptiert, und ich habe mich später immer auf seine Unterstützung verlassen können. Als er 1990 starb, nach jämmerlichen langen Jahren des Alzheimer Leidens, habe ich einen ungemein schwierigen, aber immer klugen und hilfsbereiten Freund verloren.

Der ehemalige Marxist und Kommunist hatte einen bedeutenden Anteil an der Erarbeitung und Durchsetzung des Godesberger Grundsatzprogramms gehabt; er hatte seit Beginn der sechziger Jahre die große Koalition (anfangs mit Karl Theodor von und zu Guttenberg) vorbereitet, in der er gerne Minister war – quasi als offizielle Bestätigung dafür, daß ihm die kommunistische erste Hälfte seines Lebens nicht mehr vorgehalten wurde. Er hatte jahrelang beharrlich darum gerungen, die Sozialdemokratie in die Regierungsverantwortung zu bringen – nun sollte er nach 1969 selber an der Regierung nicht mehr beteiligt sein. «Wie es kommt, so wird es genommen», nach diesem von ihm oft zitierten Grundsatz ging er zurück ins Parlament.

Ob dem neuen Kanzler Brandt dieser Wechsel ganz recht war, weiß ich nicht. Mir schien damals das persönliche Verhältnis zwischen beiden zwar ohne Herzlichkeit, aber unter

Parteifreunden ganz normal. Es hat sich dann im Laufe des Jahres 1973 abgekühlt, weil Wehner zunehmend verbittert wurde über die Führung von Regierung und Partei, die er als zu schlaff empfand – wie ich auch. Als Höhepunkt der Enttäuschung habe ich Wehners herausgeknurrtes Wort empfunden von dem gerne lau badenden Brandt. Heinz Kühn und ich, auch einige andere, haben das daraus entstehende Zerwürfnis gekittet – geheilt worden ist es nicht.

Übrigens ist ein anderes Wort Herbert Wehners («Der Regierung fehlt ein Kopf...»), das in den Medien oft als seine Moskauer Kritik an Brandt zitiert worden ist, durch eine unzulässige journalistische Weglassung in die Welt gesetzt worden; es hat sich tatsächlich auf einen fehlenden Fachmann bezogen, wie Hermann Schreiber schriftlich bezeugt hat, der der ursprüngliche Verfasser des Manuskriptes für den «Spiegel» war.

Ich selbst war im Umgang mit anderen vermutlich auch nicht gerade leicht, meist kühl, meist hart in Argument und Ton, bisweilen schroff. Zweimal habe ich in einem Führungsgremium der SPD gebrüllt; einmal Herbert Wehner adressierend, der seinerseits eines unserer weiblichen Mitglieder lautstark attackiert hatte: «Wenn hier gebrüllt werden soll, das kann ich auch!» Das andere Mal – bei der schicksalhaften Klausur in Münstereifel – an Willy Brandt gerichtet wegen seiner Rücktrittsabsicht.

Später habe ich mich dafür geschämt; denn ich war – und bleibe – immer stolz darauf, daß wir drei, bei sehr wenigen Ausnahmen, immer so viel Disziplin bewahrt haben, unsere Meinungsverschiedenheiten nicht nach außen in die Partei und in die Medien zu tragen. Die heute von journalistischer Seite vorgetragene Behauptung von einem «zerrütteten

Verhältnis untereinander» ist falsch. In Wahrheit haben wir sechzehn Jahre lang kooperativ geführt, zwar keineswegs immer einträchtig, aber im Ergebnis, so denke ich, zum Wohle unserer Nation – und auch unserer geliebten und oft bekrittelten Partei. Wer sich in anderen Parteiführungen oder in der Regierung Adenauer / Mende oder Kohl / Kinkel, in anderen Staaten, in Unternehmungen oder Gewerkschaften oder in Redaktionen umschaut, der wird finden, daß Brandt, Wehner und Schmidt in ihrer Zusammenarbeit bei solchen Vergleichen nicht schlecht abschneiden.

Im Herbst 1973 überzog die OPEC zum erstenmal die ganze Welt mit einer gewaltigen Erhöhung der Erdölpreise. Zwangsläufig stiegen überall Inflation, Arbeitslosigkeit und Verschuldung. Wir sind in Deutschland zwar vergleichsweise recht gut damit fertig geworden, aber die Stimmung wurde mies. Politische Fehler kamen hinzu, so auch exorbitante Lohnforderungen und Tarifabschlüsse. Innerhalb der Sozialdemokratie traten schwere, ideologisch begründete Meinungsverschiedenheiten in Erscheinung. Die Meinungsumfragen waren verheerend. Diese Lage führte die Spitze der SPD zu mehreren internen Beratungen. Insgesamt haben vom 30. März 1974 bis zum 5. Mai 1974 in Münstereifel drei derartige Sitzungen stattgefunden.

An der ersten nahm außer uns dreien nur noch Heinz Kühn teil. Dieser sprach von einer «ernsten Situation», ein Teil der Führung sei an die Jungsozialisten abgegeben worden. Er verlangte eine Regierungsumbildung sowie den Hinauswurf von zehn Juso-Parteimitgliedern. Eine Einigung wurde nicht erzielt.

Beim zweiten Treffen, am 4. Mai 1974, fand sich ein grö-

ßerer Kreis ein, darunter sieben Freunde aus der Gewerkschaft. Heinz Oskar Vetter beklagte das unscharfe Bild von
Regierung und Partei: «Wir haben uns nach der Wahl 1972
playboyhaft zu viel Zersplitterung mit uns selbst erlaubt»;
und – für den DGB sprechend: «Ich frage, ob wir uns nicht
unnötig verschleißen, wenn das Desaster der Regierung
doch kommt.» Adolf Schmidt beklagte den «lästigen und
gefährlichen Streit der Theoretiker»; man solle nicht mehr
als nötig von Reformen reden. Eugen Loderer klagte:
«Draußen in der Welt werden wir wegen unserer stabilen
Verhältnisse bewundert. Aber wir verkaufen nur das, was
noch *nicht* erreicht wurde... Der Abstieg der SPD wird den
Abstieg der Gewerkschaften nach sich ziehen.» Es war eine
realistische, aber traurig stimmende Bestandsaufnahme.
Das einzig konkrete Ergebnis war ein auf Herbert Wehners
Anregung ergangener Auftrag, ein «Signal an die Weltwirtschaft» zu geben (der Gedanke hat übrigens ein Jahr später
zu dem Vorschlag für einen Weltwirtschaftsgipfel der größten Industriestaaten durch Giscard d'Estaing und mich geführt).

Diese Sitzung muß Willy Brandt tief deprimiert haben.
Von Guillaume hatte niemand geredet, allein die innere Politik war Gegenstand. Am nächsten Tag, dem 5. Mai 1974,
diesmal wieder im engsten Kreis in Münstereifel, entschloß
er sich zum Rücktritt.

Mir schien, daß in der Nacht dazwischen ein Vieraugen-
gespräch zwischen Brandt und Wehner stattgefunden hatte,
aber ich weiß nichts darüber. Nunmehr spielte der Spion
eine große Rolle im Gespräch; auch die Frage, was er gewußt
und berichtet haben könnte – und auch die Frage, welche
Beobachtungen aus dem persönlichen Bereich des Bundes-

kanzlers die westdeutschen Ermittlungsbehörden in diesem Zusammenhang aus Willy Brandts Begleitpersonen herausfragen (und in die Öffentlichkeit lancieren) könnten. Brandt erklärte seine Rücktrittsabsicht bereits zu Beginn der Unterhaltung und fügte hinzu: «Der Helmut muß das machen.»

Ich war tief erschrocken. Denn zum einen war es mir instinktiv unerträglich, daß die Stasi in Ostberlin im Effekt den Bundeskanzler der Bundesrepublik Deutschland sollte stürzen können. Zum anderen hatte ich schon einige Jahre zuvor mit Abscheu miterlebt, wie die Hamburger Sozialdemokratie aus kleinbürgerlicher Moralität den geachteten Bürgermeister Paul Nevermann zum Rücktritt zwang, weil seine Ehefrau Grund gesehen hatte, sich von ihm abzuwenden; ich konnte einen ähnlichen Rücktrittsgrund für Willy Brandt nicht akzeptieren (viele Jahre später hat übrigens das sehr anrührende und zugleich vornehm-zurückhaltende Buch von Rut Brandt, «Freundesland», diese Episode ganz beiseite geschoben).

Zum dritten aber hatte ich deutlich empfundene Angst vor der Verantwortung eines Kanzlers. Ich hatte mir zwar den Fraktionsvorsitz, die Hardthöhe und auch das Finanzministerium durchaus zugetraut, aber das Palais Schaumburg erschreckte mich. Anders als Brandt und Wehner, die – des Ernstes der Situation voll bewußt – sich in jenem Gespräch eines zwar angestrengten, aber durchaus disziplinierten Tones bedienten, habe ich Willy Brandt angeschrien: «Wegen dieser Lappalien kann ein Bundeskanzler sein Amt nicht aufgeben!» Brandt aber blieb fest, wiewohl er deprimierter, resignierter Stimmung war. Zweimal rief er aus: «Gescheitert!» – so, als solle dies bedeuten: hier ist nichts mehr zu wollen.

Herbert Wehner schlug vor, er solle den Parteivorsitz bei-
behalten, was Brandt akzeptierte – und ebenso ich. Im Laufe
der folgenden Jahre hat sich dies aus meiner Sicht als politischer Fehler erwiesen; ich bin bisher der einzige Amtsinha-
ber geblieben, der nicht zugleich Vorsitzender der Regierungspartei war. Damals aber waren – zumal der Inhalt des
Gesprächs mir ganz unerwartet über den Kopf gewachsen
war – sowohl meine Loyalität zu Brandt als auch meine Vorstellung von der mich ohnehin überwältigenden Arbeit und
Verantwortung des Regierungschefs die bestimmenden
Gründe für meine sofortige Zustimmung.

Die knappe Formulierung der Rücktrittserklärung
Brandts, die wir danach gemeinsam zustande brachten,
sprach ausschließlich von der Verantwortung für Fahrläs-
sigkeiten im Fall Guillaume. Die in den beiden vorangegangenen Münstereifeler Sitzungen ausgebreiteten Kalamitä-
ten innen-, wirtschafts-, finanz- und arbeitspolitischer Art
blieben unerwähnt.

Auch im Rückblick erscheint mir jedoch für Willy
Brandts Resignation der ganze Guillaume-Komplex mit allen denkbaren Implikationen kaum von motivierender Bedeutung, wohl aber der allgemeine Zustand des Landes und
der eigenen Partei. Es erscheint mir deshalb abwegig, Wehner für Brandts Rücktritt verantwortlich zu machen. Dabei
will ich nicht ausschließen, daß Herbert Wehner in der
Nacht zuvor noch einmal den Ernst der Lage, wie er sich in
der vorangegangenen Konferenz mit unseren gewerkschaft-
lichen Freunden dargestellt hatte, resümiert und seinem
Bundeskanzler vor Augen geführt hat.

Wenn man sich heute fragt, warum jetzt, zu Beginn des
Wahljahres 1994, all dies in den Medien wieder aufgerollt

und zum Teil mit Fleiß ausgeschlachtet und auch verdreht wird, so ist jedenfalls eine Teilantwort klar: Hier soll von den offenkundigen Schwächen und Unterlassungen der Regierung Kohl/Kinkel abgelenkt werden. Willy Brandt selbst jedoch hat am 14. Mai 1984 – zehn Jahre nach seinem Rücktritt – in einem «Spiegel»-Gespräch, nach seinen Aufzeichnungen aus jener Zeit befragt, geantwortet: «Ich habe nicht vor, daraus etwas Operatives zu machen oder etwas, was ich in die politische Auseinandersetzung bringe.» Er war nämlich ein Staatsmann – und Herbert Wehner auch. Wir Deutschen haben Grund zur Dankbarkeit gegenüber beiden – und die Sozialdemokraten besonders.

Gegen die Propaganda der Gewalt

Eine offene Gesellschaft hat ebenso wie die ihr gemäße politische Form der Demokratie viele verwundbare Punkte – niemand hat dies gründlicher und überzeugender dargelegt als Karl Popper. Wer über die zweieinhalb Jahrtausende europäischer Geschichte zurückblickt, wird erkennen, daß die demokratische Ordnung von Gesellschaft und Staat zwar am ehesten eine Garantie für das friedliche Zusammenleben der Menschen bietet, daß dieser Friede aber immer wieder von inneren und äußeren Feinden zerstört wurde. Die Zeiten, in denen innerer und äußerer Friede zugleich die Menschen beglückt haben, sind niemals sehr lang gewesen.

Das darf kein Grund zur Resignation sein, im Gegenteil: Je früher wir der Gefahr eines Feindes von innen oder außen gewahr werden, je früher wir ihr entgegentreten, um so größer die Hoffnung auf einen langen Frieden.

Der gegenwärtig sich vollziehende Wandel von einer lesenden Gesellschaft zu einer Fernsehgesellschaft bringt eine unverkennbare Gefährdung von innen mit sich, der wir begegnen müssen. Seit vor einem Jahrzehnt in Ludwigshafen das private Fernsehen in Deutschland seinen Anfang nahm, hat es sich rasant entfaltet. Inzwischen sind Kabel und Satelliten hinzugekommen. In nochmals zehn Jahren werden wir mehrere hundert Kanäle empfangen können. Dazu kommen die Videorecorder; schon heute gibt es an die 30 Millionen in Deutschland. Über 200 Millionen Videos werden hier jährlich vermietet oder verkauft; Thriller, Actionfilme, Horrorfilme und Krimis machen dabei weit über ein Drittel aus.

ARD und ZDF haben früher ein kulturell breit gefächertes Programm geboten; unter dem Druck der ausschließlich auf Einschaltquoten und Werbeeinnahmen, das heißt auf Gewinn orientierten privaten Kanäle – an der Spitze RTL plus und SAT 1 – sind sie in der Qualität deutlich abgesunken. Man muß leider feststellen: Nicht mehr das Gespräch unter Kollegen oder Freunden, nicht mehr die Zeitungen oder gar die Bücher oder das Theater prägen den Geist der Zeit, sondern den Zeitgeist macht das Fernsehen.

Es macht ihn tatsächlich, es spiegelt ihn nicht bloß wider. Der Chef von Cable News Network (CNN) hat öffentlich bekannt: «Wir TV-Veranstalter sind des Mordes schuldig... Ich nehme mich nicht aus.» Hätte er präziser formuliert und gesagt: «... der Anstiftung zum Mord schuldig», hätte er den Nagel auf den Kopf getroffen. Ein vierzehn Jahre altes Kind, so hat eine neuere Studie gezeigt, hat im Durchschnitt 14 000 Tötungshandlungen im Fernsehen oder in Videofilmen gesehen. Vierzig Prozent der in der Studie befragten Kinder zwischen sechs und zehn Jahren glaubten, ein Mensch komme nur durch Mord oder einen Unfall ums Leben.

Zwanzig Prozent der Sechs- bis Achtjährigen kommen auf eine wöchentliche Fernsehzeit von bis zu vierzig Stunden, das heißt, sie sitzen länger vor dem Bildschirm als in der Schule. Über zwanzig Prozent der Neun- bis Zehnjährigen sitzen täglich vier Stunden vor dem Bildschirm. Für viele Kinder und Jugendliche sind Fernsehen und Video zur Droge geworden. Die Vielseher unter ihnen lesen keine Bücher, ihre Lesebereitschaft ist stark eingeschränkt, und auch ihre Lese*fähigkeit*, das heißt ihre Fähigkeit, einen gedruckten Text zu verstehen, liegt mangels Übung im argen.

Über neunzig Prozent aller Fernsehzuschauer verwechseln das, was sie auf dem Bildschirm mit ihren eigenen Augen gesehen und was sie mit ihren eigenen Ohren gehört haben, mit der Wirklichkeit. Besonders in den Köpfen von Kindern und Jugendlichen entsteht ein grob verzerrtes Bild der Wirklichkeit. Kinder sind neugierig und neigen zur Imitation. Fernsehen und Video suggerieren ihnen, Gewalt und Brutalität seien normale Elemente menschlicher Gemeinschaft. Es ist kein Wunder, daß sie beim Spielen mit anderen Kindern brutaler geworden sind und daß immer mehr Kinder mit Waffen auf die Straße und in die Schule gehen. Wenn jugendliche Gewalttaten bis hin zum Mord deutlich zunehmen, so liegt eine der wichtigsten Ursachen dafür beim Fernsehen. Wobei das Fernsehen durch seine Berichterstattung über Verbrechen von Jugendlichen diesen nachträglich auch noch die Genugtuung liefert, für wichtig gehalten zu werden – und anderen ein Motiv zur Nachahmung.

Die Macht des Fernsehens sei, ähnlich wie die Macht des

Arztes auf der Intensivstation, eine Macht über Leben und
Tod, so hat Karl Popper gesagt. Wobei die Macht des Arztes
das Leben des einzelnen betrifft, die Macht des Fernsehens
jedoch die ganze Gesellschaft. Das Fernsehpublikum in
Deutschland beginnt sich dieser Macht bewußt zu werden;
aber dieser Prozeß hat gerade erst begonnen – und er ver-
läuft zwiespältig. Eine deutliche Mehrheit empfindet heute
Überdruß gegenüber dem Fernsehen und möchte Gewalt
und Brutalität im Fernsehen eingeschränkt sehen – die
Frauen übrigens in viel höherem Maße als die Männer, wohl
deshalb, weil sie den Kindern im allgemeinen näher sind und
die zerstörerischen Wirkungen des Fernsehens auf Kinder
deutlicher beobachten. Aber die gleichen Erwachsenen sitzen oft stundenlang selbst vor dem Fernseher und kaufen
sogar ein Zweitgerät für ihre Kinder, damit diese ihre eigenen Programme einschalten können.

Es war die CDU/CSU, die in den achtziger Jahren das
private, kommerzielle Fernsehen in unserem Lande durchgesetzt hat. Heute, nur ein Jahrzehnt später, bereut mancher seine damalige Entscheidung, und christdemokratische
Politiker wie Angela Merkel und Richard von Weizsäcker
denken darüber nach, was zur Abhilfe gegen Gewalt im
Fernsehen zu tun sei. Man wird das kommerzielle Fernsehen nicht wieder abschaffen können. Statt dessen redet man
über Gremien zur Selbstkontrolle, über jährliche Berichte
an den Bundestag, über die Einrichtung von Jugendschutz-
beauftragten in allen Sendern (so die Ministerpräsidenten-
Konferenz) oder über eine neue überwachende Aufgabe für
den im Sommer 1994 aus dem Amte scheidenden
Weizsäcker. Einstweilen ist diese Diskussion noch sehr dif-
fus, und zu einer empfindlichen Bestrafung der Übeltäter

will sich offenbar niemand entschließen. Wir sollten die vielen Wahlkämpfe des Jahres 1994 dazu nutzen, die Kandidaten zu befragen, was sie denn persönlich gegen die tägliche Anstiftung zum Mord, die vom Bildschirm ausgeht, unternehmen wollen.

Wenn es richtig ist, daß interaktives Fernsehen für viele zu einer Droge geworden ist, dann wird es Zeit, über eine entsprechende Drogenbekämpfung nachzudenken; denn eine Erweiterung der Jugendschutzgesetzgebung allein wird nicht ausreichen. Gefährliche Medikamente, die als Drogen mißbraucht werden können, dürfen bei uns nur von einem approbierten Apotheker (und nur auf Rezept eines Arztes) abgegeben werden. Sich an dieses Beispiel anlehnend, hat Karl Popper den Vorschlag gemacht, allen Fernsehproduzenten, -intendanten und -regisseuren eine Lizenz zur Pflicht zu machen. Um diese zu erlangen, müßten sie einen Kurs absolvieren, in dem die volkspädagogische Macht des Fernsehens und seine Verantwortung für die menschliche Zivilisation dargelegt werden und in dem sie lernen, daß Zivilisation im Kern die Reduzierung der Gewalt durch den Rechtsstaat bedeutet. Die Lizenz sollte außerdem mit der Ablegung eines ethischen Versprechens verbunden sein – ähnlich dem hippokratischen Eid der Ärzte. Demjenigen, der später dagegen verstößt, solle eine Fernsehkammer die Lizenz entziehen. Die Kammer solle ähnlich zusammengesetzt sein wie eine Ärztekammer, in der die Kontrollierten an der Kontrolle mitwirken.

Natürlich kann eine deutsche Initiative gegen die Überflutung mit Gewalt angesichts der internationalen Vernetzung nicht viel ausrichten. Aber wir müssen einen Anfang machen. Wir müssen auch in unserer eigenen Familie und

in unserer eigenen Wohnung einen Anfang machen. In der
Schule brauchen wir eine kritische Nachbereitung der Fern-
sehsendung vom Abend zuvor und eine bewußte Erziehung
zum kritischen Fernsehkonsum. Erziehung zum Demokraten bedeutet, jungen Menschen Augenmaß zu geben für
Freiheit und Bindung und sie ihre Verantwortung für die
Folgen ihres Handelns erkennen zu lassen.

Die offene Gesellschaft verteidigen

Gleichzeitig mit der Gewaltpropaganda in den Medien muß
die Gewalttätigkeit selbst energisch bekämpft werden –
ohne falsche Sympathien für irregeleitete Straftäter. Das ist
Sache der Polizei, der Strafverfolgungsbehörden und der
Gerichte. Was die Gewaltakte gegen Ausländer betrifft, hat
mich von Anfang an die Unsicherheit der Gerichte erschreckt; häufig wurde Alkohol als Grund für Strafminde-
rung anerkannt, Bewährung war zunächst beinahe selbstverständlich. Soviel ich sehe, ist eine lebenslängliche
Freiheitsstrafe wegen Mordes sehr selten verhängt worden.
Es erscheint mir nicht sinnvoll, die gesetzlichen Strafbe-
stimmungen auszuweiten, wohl aber sollten die Gerichte sie
stärker ausschöpfen. Und sie sollten sehr viel schneller arbeiten; wer Molotowcocktails in Wohnungen wirft, muß
umgehend ins Gefängnis.

Gegen die sich ausbreitende Gewaltkriminalität sind
schnelle, abschreckende Urteile geboten. Die Justizbehör-
den der Länder müssen untersuchen, warum Strafverfahren
gegen Gewalttäter so lange gedauert haben und auf welche
Weise sie in Zukunft beschleunigt werden können. Die Ge-

richte müssen unabhängig sein und bleiben, aber Organisation und Straffung der Arbeit der Staatsanwaltschaften ist durchaus Sache der Justizminister und der Landtage. In den Wahlkämpfen des Jahres 1994 sollten wir unsere Politiker auf dieses Thema festnageln.

Die um sich greifende Bandenkriminalität, die international organisierten Verbrechen wie Drogenhandel und die sonstigen Aktivitäten ausländischer Mafias auf unserem Boden, ebenso die Ausbreitung des organisierten Handels mit Schußwaffen verlangen nach einer Modernisierung der Organisation unserer Polizeien und nach effizienter internationaler Zusammenarbeit. An den Polizeien darf heute nicht gespart werden, wohl aber muß vielfach ihre Organisation gestrafft und Doppelarbeit vermieden werden. Auch danach sollten wir unsere Politiker fragen.

Bei der Bekämpfung des Terrorismus haben sich unsere Strafverfolgungsbehörden und Polizeien 1993 in Bad Kleinen eine empfindliche Schlappe zugefügt. Sowohl die Vorbereitung der Aktion zur Ergreifung zweier Terroristen als auch die Durchführung an Ort und Stelle waren nahezu dilettantisch. Die gegenseitigen Beschuldigungen nach dem Fehlschlag, der Rücktritt des Bundesinnenministers, die von der Bundesjustizministerin verfügte Zwangspensionierung des Generalbundesanwaltes, die nachträglich bekannt gewordene Nichtbeteiligung des Präsidenten des Bundeskriminalamtes, die viele Monate dauernde Unklarheit, ob einer der Terroristen von der Polizei im Feuergefecht getötet wurde oder Selbstmord begangen hat (wie jetzt endlich festzustehen scheint) – alles das bot ein jammervolles Bild und weckte Zweifel an der Fähigkeit der heutigen Bundesregierung zur Bekämpfung des Terrorismus.

Der Terrorismus – ob von extrem links oder von extrem rechts – bedarf der gemeinsamen, entschlossenen Abwehr. Dazu hat die Bundesregierung die Spitze der Opposition einzuladen, diese darf einer solchen Einladung nicht ausweichen. Das haben wir doch in den späten siebziger Jahren in Bonn viele Male vorexerziert. Wenn die heutigen Führungspersonen mit gleicher Energie, gleicher Umsicht und gleicher verfassungsrechtlicher Sorgfalt gegen den Terrorismus vorgingen, wäre Deutschland damit gedient. Wer aber in Bonn glaubt, man brauche die Bekämpfung nur den ausführenden Organen des Staates zu überlassen und könne den Terrorismus im übrigen aussitzen, der irrt sich in gefährlicher Weise.

Am 9. November 1978 habe ich in der Kölner Synagoge dem Zentralrat der Juden dafür gedankt, daß er wiederholt die Zuversicht der damaligen Bundesregierung geteilt hat, es würden bei uns weder Rechtsextremismus noch Linksextremismus jemals wieder eine Heimstätte finden. Heute steht fest: Sowohl der Zentralrat der Juden als auch der Bundeskanzler haben sich damals geirrt.

Große Sorge bereitet zuletzt die erschreckende Ausbreitung der Sucht nach harten Drogen. Die damit verbundenen Verbrechen des internationalen Rauschgifthandels, aber auch die Beschaffungskriminalität der Süchtigen, die Verbrechen begehen, um sich ihre Drogen kaufen zu können, steigen rapide. Ein von harten Drogen Abhängiger gibt pro Tag 200 bis 300 DM für deren Beschaffung aus; das sind für ihn pro Jahr 70 000 bis 100 000 DM. Er beschafft sich das Geld durch Diebstahl, Einbruch und Raub und durch Verkauf seiner Beute an Hehler. Der von ihm angerichtete Schaden für Dritte liegt wertmäßig bei dem Drei- bis Zehn-

fachen; für ihn selbst bedeutet die Abhängigkeit die Zerstörung seiner Gesundheit – bis zum Tod.

Die neue Bundesregierung muß die Koordinierung der
Drogenpolitik und die Bekämpfung der Drogenkriminalität
zu einer ihrer wichtigsten Aufgaben machen, ebenso die Bekämpfung der Gewalt und die Bekämpfung des mörderi-
schen Terrorismus von extrem links wie extrem rechts.

Schule, Berufsschule, Hochschule

Gegen Gewaltpropaganda, gegen Gewalttäter und Verbrecher muß die offene Gesellschaft sich verteidigen. Sie muß
aber auch die jungen Mitbürgerinnen und Mitbürger überzeugen und zur Bejahung unserer offenen Gesellschaft erziehen. Alle müssen wissen, daß deren Fortdauer von den
politischen Kräften in der demokratischen Mitte abhängt –
von der linken bis zur rechten Mitte –, von der Vitalität und
Attraktivität der Politiker und der Parteien, die in der demokratischen Mitte um die Macht ringen.

Die Linke sei auf dem Weg zur Mitte, die ihrerseits nach
rechts Terrain zu verlieren drohe, hat Ende 1993 Rüdiger
Altmann geschrieben; er hat wahrscheinlich recht. Im gleichen Essay sagt er: «Wir können den Niedergang des Erzie-
hungswesens nicht länger hinnehmen.» Wenn es anders
nicht möglich sei, müsse man notfalls auf den leer gewordenen Begriff «Bildung» verzichten; jedenfalls habe Erziehung Vorrang. Letzterem stimme ich gern zu – gleichwohl
kann ich nicht einsehen, daß man deshalb auf Bildung verzichten soll. Ich definiere Bildung nämlich als das Ergebnis
von Erziehung.

Wenn ein junger Mensch dazu erzogen wurde, auf andere
Rücksicht zu nehmen, in Konfliktfällen Kompromisse zu
schließen, die sittlichen und rechtlichen Grenzen, die der
Verfolgung seiner eigenen Interessen gesetzt sind, zu re-
spektieren, wenn er zu eigenem Urteil erzogen wurde, zur
Ablehnung von Pauschalurteilen – «das System», «das Esta-
blishment», «die Kapitalisten», «die Ausländer», «die Politiker» und so fort –, und wenn er sich verantwortlich fühlt für
die Folgen seines Tuns, dann ist er für mich sehr wohl ein
gebildeter Mensch. Dagegen sträube ich mich, einen Akade-
miker «gebildet» zu nennen, der auf andere schießt oder
Molotowcocktails wirft, oder einen Gewalttäter zu respek-
tieren, nur weil er studiert hat. Wer die Unverletzlichkeit
und Würde der Person nicht zu achten gelernt hat, kann
nicht gebildet sein.

Wenn sich heute einige hundert Anhänger der linksextre-
mistischen RAF immer noch als Avantgarde zur gewaltsa-
men Beseitigung unseres «Systems» verstehen, wenn sich
rechtsextremistische Mordbrenner als Avantgarde eines
von ihnen unterstellten fremdenfeindlichen Volksempfin-
dens fühlen, dann liegt einer der Gründe dafür auch in Fehl-
entwicklungen unseres Schul- und Hochschulwesens während der letzten drei Jahrzehnte.

Das «antiautoritäre» Ideal hat nicht nur die – schon 1968
sehr geringen – Reste von Kadavergehorsam beseitigt. Zugleich hat die sogenannte Emanzipationspädagogik im Namen der «Selbstverwirklichung» auch die Tugenden der Solidarität und des Kompromisses beiseite geschoben. Sie hat,
ohne dies bewußt zu wollen, Rücksichtslosigkeit, das Recht
zum Abreagieren eigener Ängste, eigener Wut und Ressen-
timents zum Schaden anderer, aber auch egoistisches Wohl-

leben auf den Thron gesetzt. Die Folgen zeigen sich heute:
Der Geist des Hedonismus hat rücksichtsloses, auf Selbstbe-
reicherung ausgehendes Spekulantentum in Banken und
Unternehmen, in Gewerkschaften und in der Gemeinwirt-
schaft zusätzlich begünstigt.

Viele hatten nie eine Chance, echte Gemeinschaft zu erleben, und haben deshalb nie gelernt, sich einzufügen. Viele
Familien zerfallen in einzelne, die sich einzeln entwickeln,
ohne engere Berührung. Gegen die Übermacht von Fernsehen, Videos, Drogen, Spielsalons, Werbung usw. ist oft
selbst eine gute Schule machtlos. Weil manches in unserem
Erziehungssystem, an unseren Schulen und Hochschulen
schiefgelaufen ist – trotz oder gerade wegen aller sogenannten Schul- und Bildungs- und Hochschulreformen, die in
vielen Fällen zum Selbstzweck geworden sind –, fällt es mir
schwer, abermals einer Reform das Wort zu reden. Am liebsten möchte ich den Schulpolitikern zurufen: «Laßt endlich
einmal die Schule zur Ruhe kommen!»

Es scheint mir kein Zufall, daß der Bereich der beruflichen
Bildung, unser hergebrachtes duales System von Lehrlings-
ausbildung und Berufsschule, innerhalb unseres Bildungs-
systems weitaus am besten dasteht. Zwar waren auch hier
einige Neuerungen fällig, auch hier gab es ein paar überflüs-
sige Änderungen, wie zum Beispiel die Ersetzung des alten
deutschen Wortes Lehrling durch Azubi. Aber das hat unsere Lehrlingsausbilder, die Meister und die Berufsschulleh-
rer nicht dazu verleitet, ihre solide berufliche Erfahrung und
ihren gesunden Menschenverstand beiseite zu schieben, im
Gegenteil. Die ganze Welt beneidet uns um unser beruf-
liches Bildungssystem, es ist in der Tat Spitze. Und wir
selbst wollen nicht vergessen, daß unsere Exporterfolge und

unser hoher Lebensstandard *ohne* unsere hervorragend aus-
gebildeten Facharbeiter und Handwerker nicht möglich wären. Die einzige Sorge, die man hier haben könnte, besteht
darin, daß bei anhaltender Arbeitslosigkeit die guten Haupt-
schüler durch die Mittelstufenabsolventen und Abiturienten von den Lehrstellen verdrängt werden.

Ganz anders sieht es an unseren Universitäten aus. Sie
sind überfüllt; unsere Universitätsabsolventen studieren
deutlich länger als ihre Kommilitonen in den USA, in Japan,
Frankreich oder England. Dies ist nur zu einem Teil die
Schuld der Studenten, zum anderen Teil ist es die Schuld
einer verfehlten Universitätsorganisation und des Manage-
ments beziehungsweise die Schuld der Hochschullehrer.
Unsere Universitäten sind nach Berechnungen von Wolfram Engels pro Kopf sogar teurer als amerikanische Privat-
Universitäten. Daß derzeit für viele Universitätsabsolventen kein Arbeitsplatz zu finden ist und daß wir insgesamt
einen Überschuß an Akademikern verzeichnen, macht das
Gesamtbild noch unerfreulicher.

Nach anderthalbjähriger Vorbereitung hat Kanzler Kohl
Ende 1993 die Ministerpräsidenten der Länder zu einem Bildungsgipfel eingeladen; er glich dem Hornberger Schießen,
denn es wurde keinerlei Ergebnis erzielt. Ich hätte mir statt
dessen lieber eine pädagogische Konferenz gewünscht, auf
der Praktiker, Lehrer verschiedener Schulsysteme in Ost-
und Westdeutschland, Ausbilder und Meister, Jugendleiter
aus Sport und Gewerkschaften, Hochschullehrer, Schulleh-
rer und Pfarrer, Sozialarbeiter und Polizeibeamte gemeinsam diskutieren, was wir in der Erziehungsarbeit falsch
gemacht haben und warum so viele Jugendliche in die Dro-
genszene und in die Gewaltszene abgleiten. Auf diese Weise

wäre vielleicht herauszufinden, was wir tun können, damit die Jugendlichen nicht verzweifelt nach ihrem Platz in der Gesellschaft, nach ihrer Identität suchen müssen und dabei auf Abwege geraten. Jugend braucht Perspektiven, Vorbilder, und sie braucht die Möglichkeit, selbst zu gestalten.

Dagegen zielte Kohl mit seinem sogenannten Bildungsgipfel aller deutschen Regierungschefs auf die gemeinsame Verabschiedung eines von ungezählten Gremien vorbereiteten, im Kanzleramt auf fünf Seiten komprimierten «Positionspapiers». Er blieb ohne Erfolg, weil *alle* Ministerpräsidenten sein Papier abgelehnt haben. Kanzler Kohl hat dieses Nichtergebnis selbst herbeigeführt, weil er verlangte, die Schulzeit bis zum Abitur «unverzüglich» auf zwölf Jahre zu verkürzen. Dieser Gedanke erscheint mir an sich durchaus diskutabel, aber der Zeitpunkt höchster Jugendarbeitslosigkeit ist dafür ganz ungeeignet.

Es ist ein prinzipieller Fehler, alle Eckpunkte für die Organisation unseres Schul- und Hochschulwesens für alle sechzehn Bundesländer zentral und einheitlich regeln zu wollen. Obgleich es sich hier nach dem Grundgesetz um eine Sache der Länder handelt, haben deren Kultusminister seit Jahrzehnten zunehmend auf einen unzweckmäßigen Zentralismus sich eingelassen und den Bundesinstanzen de facto immer mehr Zuständigkeiten eingeräumt. Es wäre zweckmäßiger, den Ländern die Freiheit zu lassen, untereinander um die besten Schul- und Hochschulsysteme zu konkurrieren. Auch zwischen den einzelnen Hochschulen und Universitäten würde ein Wettbewerb Wunder bewirken.

Warum sollen nicht einige Hochschulen Zulassungsprüfungen für Studienanfänger einführen dürfen? Warum sollen andere nicht wesentlich verkürzte Studiengänge anbie-

ten dürfen? Warum keine Zwischenprüfungen? Warum
sollen nicht einige Länder damit beginnen, ihren Universitäten Anreize zu wirksamerer Nutzung der Gelder zu geben,
die das Land in seine Universitäten steckt? Warum erlauben
nicht *alle* Länder ihren Universitäten ein höheres Maß an
Selbstorganisation und Eigenverantwortung, entrümpeln
ihre Landesgesetze und ihre Kultusbürokratie, die heute in
Wahrheit die Universitäten regiert, und schaffen Platz für
ein modernes Management durch die Universitäten selbst?

Die Spitzenstellung, die im 19. Jahrhundert die deutschen
Universitäten und die von ihnen betriebene Wissenschaft,
Forschung und Lehre in der Welt gehabt haben, ist längst
verlorengegangen. Wäre es nicht sinnvoll, wenn die Länder
wenigstens einige ihrer Universitäten den Versuch zur
Rückeroberung der alten Leistungsfähigkeit und des alten
Ansehens machen ließen, indem sie sich an ausländischen
Beispielen – und Vorbildern! – orientieren? Soll wirklich
jeder Universitätsprofessor gezwungen sein, dem alten,
heute schon aus technischen Gründen vielfach nicht mehr
möglichen Ideal der Einheit von Lehre und Forschung nach-
zueifern? Wäre es nicht für Hunderttausende unserer Studenten ein großer Gewinn, wenn ihre Professoren im wesentlichen erstklassige Hochschul*lehrer* wären? Brauchen
wir nicht vielmehr Wettbewerb zwischen den Universitäten, einschließlich privater Universitäten? Natürlich kann
eine private Universität niemanden zum Beamten ernen-
nen, schon gar nicht auf Lebenszeit.

Wer die von mir hier angeschnittenen Fragen für ganz
Deutschland gleichlautend beantwortet wissen will, soll
ehrlich sein und bekennen, daß er ein entscheidendes Element des Föderalismus abzuschaffen wünscht. Ich kann der-

gleichen nicht empfehlen. Ich kann nicht einsehen, warum
die Humboldt-Universität in Berlin und die Universitäten in
Regensburg oder in Bremen gleich aussehen und auf gleiche
Weise funktionieren sollen. Wir haben schon mehr als zuviel von dem Hochschuleinheitsbrei, aus dem Spitzenlei-
stungen immer seltener hervorgehen.

Unseren Abiturienten wird gesagt: Studiert, damit ihr im
Berufsleben Karriere machen könnt; infolgedessen geht
heute ein Drittel aller jungen Frauen und Männer an die
Universität. Dort wird ihnen gesagt: Spezialisiert euch,
sonst habt ihr in der hoch arbeitsteiligen Berufswelt keine
Chance. Aber zugleich sagt ihnen ein anderer: Nein, Fach-
idioten haben wir schon mehr als genug, ihr müßt euch
möglichst breit bilden. Zwischen diesen beiden sich wider-
sprechenden Positionen, garniert mit Berufsprognosen,
welche alle paar Jahre sich ändern, sollen die Studenten sich
entscheiden; dies fällt schwer und ist auch einer der Gründe
für überlange Studiendauer. Tatsächlich haben beide Positionen ihre Berechtigung; deshalb ist es vernünftig, für die
berufsbezogenen Studiengänge die Fachhochschulen auszu-
bauen und die Universitäten zu entlasten.

Einer der Gründe für die Überfüllung der Universitäten
liegt in der von Akademikern verbreiteten Überheblichkeit
gegenüber der normalen Schul- und Berufsausbildung. Dagegen bin ich jedesmal glücklich und empfinde Genugtuung
darüber, wenn ich sehe, daß es ein tüchtiger Nichtakademiker in einem privatwirtschaftlichen Unternehmen oder in
der Politik zu hohen Positionen und Ämtern bringt. Die
Forderungen des Staates und seiner Behörden nach Univer-
sitätsabschluß als Bedingung für den Zugang zum höheren
Dienst tragen das Ihre zur Überfüllung der Universitäten

bei. Ich bin jedesmal froh, wenn ich sehe, daß ein tüchtiger Nichtakademiker in den höheren Dienst aufsteigt, und besonders freut es mich, wenn es ein Nichtakademiker in Bonn zum Ministerialrat bringt – sogar mit dem «falschen» Parteibuch.

Auch die meisten Personalbüros in der Privatwirtschaft gehen davon aus, daß ein Bewerber ohne Diplom nicht viel wert, aber mit Doktortitel noch mehr wert sei als mit Diplom. Tatsächlich würde für sehr viele Positionen das Bakkalaureat nach amerikanischem Muster ausreichen, ein «bachelor's degree in economics» oder in «business administration» oder in den «humanities». Aber einen solchen Studienabschluß müßten unsere Hochschulen erst einmal anbieten. Im übrigen kommt es in einer sich schnell verändernden Wirtschaftsgesellschaft immer weniger darauf an, was man in der Jugend auf der Hochschule gelernt hat, sondern immer mehr darauf, ob man bereit ist, im Laufe des Lebens hinzuzulernen.

Die Zukunft unserer offenen, demokratisch verfaßten Gesellschaft hängt entscheidend davon ab, ob ihre Mitglieder fähig und willens sind, diese Gesellschaft zu verteidigen. Ob sie im Laufe ihrer Jugend gelernt haben – gleich ob auf der Hauptschule, der Berufsschule, der Fachschule oder der Hochschule –, welchen unschätzbaren Wert die Offenheit der Gesellschaft und die Funktionsfähigkeit der Demokratie haben, für sie selbst und für uns alle. Zu den demokratischen Tugenden erzogen und gebildet zu sein ist wichtiger als ein noch so guter Überblick über das weite Feld der modernen Wissenschaften.

Schule und Hochschule hat das Grundgesetz von Anfang an und prinzipiell den Ländern zugewiesen; dabei ist es bis-

her geblieben, auch wenn einige Zusätze zu einigen Ein-
schränkungen geführt haben. Immer noch sind die Landtage
für die Gesetzgebung und die Landesregierungen für deren
Ausführung zuständig und verantwortlich. Wenn 1994 sieben Landtage neu gewählt werden, sollten wir, die Wählerinnen und Wähler, die Kandidaten zum Landtag nach der
Entwicklung unserer Schulen und Hochschulen fragen.

Das Grundgesetz kann uns die eigene Anstrengung nicht abnehmen

Bevor wir einen Landtagskandidaten zur Rede stellen können, muß jemand ihn zum Kandidaten gemacht haben. Wer
aber ist dieser Jemand?

Im Artikel 20 des Grundgesetzes steht der lapidare Satz:
«Alle Staatsgewalt geht vom Volke aus.» Anschließend ist
dann von Wahlen und Abstimmungen durch das Volk die
Rede; danach erst von den Parlamenten, den Regierungen
und der Justiz. Wenn also das Volk an der Spitze steht – und
das muß es ja auch! –, wie groß ist denn dann bei einer Wahl
die wirkliche Macht des Volkes? In vielen Fällen haben wir
nur die Wahl zwischen verschiedenen Namenslisten. Wir
wissen nicht einmal, wer alles darauf verzeichnet ist; wir
erfahren nur die allerersten Namen auf der Liste, außerdem
noch die Firmenbezeichnung, das ist in aller Regel der Name
der Partei. Wenn wir für eine der zur Wahl stehenden Listen
unser Kreuz machen, wählen wir damit Kandidaten, die wir
zumeist weder kennen noch kennen können; wir kennen
nur ihre Partei. Wer hat die Kandidaten auf die Liste gesetzt,
wer hat ihre Reihenfolge bestimmt, wer hat über «sichere»

und aussichtslose Listenplätze bestimmt? Die Antwort ist:
die Partei. Aber wer ist die Partei? Sind es die Parteimitglieder? Nein, leider nicht.

Bei manchen Wahlen dürfen wir mehr als ein Kreuz machen; bei der Bundestagswahl zum Beispiel machen wir ein
zweites Kreuz für den Abgeordneten, den wir gern für unseren Wahlkreis, in dem wir wohnen, in den Bundestag schik-
ken möchten. Wir wählen zwischen mehreren Kandidaten.
Aber wer hat diese Frauen und Männer als Kandidaten auf-
gestellt? Die Antwort ist auch hier: die Partei. Aber wer ist
die Partei, sind es die Parteimitglieder? Die Antwort ist auch
hier: Nein, leider nicht.

Einer der wesentlichen Gründe für die heutige Politikverdrossenheit liegt darin, daß wir einerseits mit der Politik unzufrieden sind, daß wir aber andererseits selber gar nicht
eingreifen können, daß wir nicht selber die Leute aufstellen
können, die nach der Wahl für uns in Bonn die Politik machen sollen. Zwar ist das schon immer so gewesen, aber
heute fängt es an, uns zu ärgern – und viele gehen aus Ärger
gar nicht zur Wahl. Daran sind in erster Linie die Parteien
selber schuld, weil sie ihre Kandidatenaufstellungen – sei es
auf der Liste oder im Wahlkreis – unter wenigen Funktionä-
ren und Berufspolitikern aushandeln und nicht einmal ihre
eigenen Partei*mitglieder* daran beteiligen. Die Mitglieder
sind doch in die Partei eingetreten und zahlen Beiträge, *weil*
sie sich politisch engagieren, *weil* sie Einfluß ausüben wollen.

Ich will an dieser Stelle nicht noch einmal die Parteienkri-
tik ausbreiten, wie sie Richard von Weizsäcker und ich selbst
in zwei Büchern vorgelegt haben. Ich will auch nicht den
Vorschlag für die Verkleinerung des Bundestages und den

Vorschlag für ein Mehrheitswahlrecht ein weiteres Mal ausbreiten, den ich seit 1968 viele Male – viele Male erfolglos –
vertreten habe; ich würde die Listenwahl abschaffen und
alle Abgeordneten in Wahlkreisen wählen lassen, so daß die
Wähler nur zwischen Kandidaten wählen, die sie kennen.
Eine solche Änderung der Wahlgesetze käme für das Superwahljahr 1994 ohnehin nicht mehr zustande – ganz abgesehen davon, daß die meisten Funktionäre und Berufspolitiker
der beiden großen Volksparteien sie wiederum ablehnen
würden – aus persönlichem Interesse.

Wohl aber möchte ich meinen Vorschlag wiederholen, sowohl über die Kandidatenlisten als auch über die Wahlkreis-
kandidaten durch das jeweilige Parteivolk, das heißt durch
alle Parteimitglieder, entscheiden zu lassen. Diesen Vorschlag habe ich innerhalb meiner eigenen Partei seit 1958
wiederholt vorgetragen, zuletzt im Frühjahr 1993 («Handeln für Deutschland», S. 74 f., 78). Dieses Mal wurde mir
ein Teilerfolg vergönnt. Wenige Wochen nach Erscheinen
des Buches beschloß die Parteiführung der Sozialdemokratie, alle Mitglieder an der Wahl des neuen Parteivorsitzenden und Kanzlerkandidaten zu beteiligen. Obwohl nur
wenig Zeit zur Vorbereitung dieser ersten allgemeinen,
schriftlichen und geheimen Mitgliederbefragung zur Verfügung stand, haben sich knapp drei Fünftel aller SPD-Mit-
glieder daran beteiligt. Danach konnte jeder das befriedigende Gefühl haben, selber eine Spitzenentscheidung
getroffen zu haben; fast jeder hat dann auch das Verfahren
gebilligt *und* das Ergebnis, nämlich die Wahl Rudolf Scharpings. Es ist dafür übrigens weder eine Gesetzesänderung
noch eine Änderung der Parteisatzung nötig gewesen.

Wollte man bei den Kandidatenaufstellungen für die vie-

len Wahlen des Jahres 1994 ähnlich verfahren, wären
gleichfalls weder Gesetzes- noch Satzungsänderungen erforderlich. Änderungen wären auch nicht nötig, um zu erreichen, daß diejenigen Frauen und Männer, die im Wahlkreis kandidieren wollen, den dortigen Mitgliedern ihrer
Partei sich öffentlich vorstellen und sich von ihnen befragen
lassen, bevor das Parteivolk schriftlich und geheim über die
Kandidatur seine Entscheidung trifft. Ich kann mir dabei
vielerlei Fragen vorstellen: nach Lebenslauf und Beruf
(schon wieder einer aus dem öffentlichen Dienst?), nach der
von ihr oder ihm erstrebten Hauptaufgabe im Parlament,
nach ihrer/seiner Tendenz in Fragen der Überwindung der
Massenarbeitslosigkeit, der Einwanderungs- und Asylpoli-
tik, der inneren Sicherheit, der Schulpolitik und so fort, bis
hin zur Haltung in Sachen Diäten und Politikervergütun-
gen. Bewerber, die dem Parlament bereits angehört haben,
würden auch Fragen nach ihrem bisherigen Verhalten beantworten müssen. Ein solches Verfahren würde das Partei-
leben durchsichtiger und deshalb attraktiver machen – und
es würde die politische Moral heben.

Die nicht einer Partei angehörenden Wählerinnen und
Wähler würden dabei allerdings nur wenig gewinnen; immerhin würden sie von der breit angelegten Beteiligung der
Parteimitglieder erfahren. Sie treffen im wesentlichen auch
eher politische Tendenzentscheidungen. So mag zum Beispiel einer finden, Kohl und Waigel seien besser als ihre
Konkurrenten, und wählt deshalb CDU oder CSU, obwohl
ihm manches an der Politik dieser Partei nicht behagt. Oder
er wählt die SPD wegen Scharping, obwohl ihm manches an
der Politik der SPD mißfällt. Ein dritter wählt eine Partei
wegen ihrer allgemeinen politischen Richtung und findet

die Frage nach den Spitzenleuten nicht so wichtig. Oder er ist enttäuscht von der Partei, die er das letzte Mal gewählt hat, so daß er diesmal eine andere wählt. Oder er will überhaupt und grundsätzlich, daß von Zeit zu Zeit ein Wechsel stattfindet.

Es ist in der Tat für eine Demokratie lebenswichtig, daß von Zeit zu Zeit ein Wechsel stattfindet. Denn sonst erstarrt das politische Leben, die Korruption in den Reihen einer regierenden Partei breitet sich aus, und in der Personalpolitik des Staates nimmt die verfassungswidrige Parteibuch-Wirtschaft ein gefährliches Ausmaß an. Das «richtige» Parteibuch wird dann wichtiger als die Fähigkeiten eines Menschen, und manche Leute im öffentlichen Dienst treten nur deshalb in eine Partei ein, damit sie Karriere machen können.

Für politische Spitzenämter allerdings, in die man durch Parlamentsentscheidung berufen wird, wird die Parteizugehörigkeit zwangsläufig immer eine große Rolle spielen. Das gilt zum Beispiel für die Wahl des Bundeskanzlers und des Bundespräsidenten; in der Praxis gilt es leider auch für die Wahl zum Richter am Bundesverfassungsgericht und zu anderen hohen Ämtern, die eigentlich zur Nichtparteilichkeit verpflichten.

Die Wahl zum Bundespräsidenten liegt bei der Bundesversammlung, die sich aus allen Bundestagsabgeordneten und ebenso vielen Delegierten der sechzehn Landtage zusammensetzt. Fünfundzwanzig Jahre lang hatten wir Bundespräsidenten aus den Reihen der CDU (Heinrich Lübke, Karl Carstens und Richard von Weizsäcker), fünfzehn Jahre lang Bundespräsidenten aus der F.D.P. (Theodor Heuss und

Walter Scheel) und lediglich fünf Jahre lang einen Sozialdemokraten (Gustav Heinemann). Ich kann dieses Ergebnis
der letzten 45 Jahre nicht glücklich nennen, ganz unabhängig von den persönlichen Qualitäten der einzelnen. Denn
angesichts des Stimmgewichtes der F.D.P. sind deren fünfzehn Jahre in der obersten Repräsentanz unseres Staates zu
lang, und angesichts des Gewichtes der SPD sind deren
fünf Jahre viel zu kurz.

Bis zum 23. Mai 1994 werden wir einen öffentlichen
Wahlkampf um die geheim abzugebenden Stimmen der
Mitglieder der Bundesversammlung erleben, wie es ihn
noch nicht gegeben hat. Der Parteivorsitzende der CDU,
zugleich Bundeskanzler, hatte sich ursprünglich einmal für
Johannes Rau, den langjährigen Ministerpräsidenten des
Landes Nordrhein-Westfalen, ausgesprochen. Dann aber
hat er es sich in den Kopf gesetzt, auf jeden Fall wiederum
einen Mann seiner Partei an die Spitze des Staates zu bug-
sieren. Dafür hatte er zunächst Steffen Heitmann auserse-
hen, mit der Begründung, der nächste Bundespräsident
müsse ein Mann aus dem Osten Deutschlands sein; Heit-
manns Kandidatur löste eine öffentliche Debatte aus, in deren Verlauf es zweifelhaft wurde, ob Heitmann alle CDU/
CSU-Stimmen der Bundesversammlung auf sich vereinen
könnte. Daraufhin schwenkte Kohl auf Roman Herzog um,
den gegenwärtigen Präsidenten des Verfassungsgerichtes.
Auch Herzog kann sich nicht aller CDU/CSU-Stimmen
der Bundesversammlung sicher sein – deshalb der Wahlkampf.

Herzog selbst, immer noch im höchsten Richteramt aktiv (eine Suspendierung vom Amt wäre überzeugender),
verhält sich in diesem Wahlkampf bisher durchaus fair und

honorig. Er hat bisher keinerlei abwertende Bemerkungen über seine Konkurrenten Hildegard Hamm-Brücher, Johannes Rau und Jens Reich gemacht; die anderen Bewerber auch nicht über ihn. Anders jedoch der Parteivorsitzende Kohl, dessen Stäbe große Anstrengungen unternehmen, Rau öffentlich herabzusetzen.

Seit den Zeiten Adenauers und Lübkes haben wir es nicht erlebt, daß ein Bundeskanzler ganz ohne Scheu und Scham nur deshalb einen Bundespräsidenten durchsetzen will, damit dessen Wahl der Politik des Bundeskanzlers zu Willen und zu Nutzen sei. Ich sähe es als verhängnisvoll an, wenn ein General der Bundeswehr für das höchste Staatsamt kandidieren würde, und zwar unabhängig von seinen persönlichen Qualitäten. Ich sehe es auch sehr ungern, daß der höchste Richter für dieses Amt kandidiert, ebenfalls völlig ungeachtet seiner persönlichen Eignung. Denn schon heute macht mir das Bundesverfassungsgericht zuviel Politik; die Grenze zwischen der Sphäre der Politik und dem höchsten Gericht sollte nicht verwischt werden.

Ich habe mich bereits im Juni 1993 für Johannes Rau ausgesprochen; er steht seit vielen Jahren auf der öffentlichen Bühne. Jedermann kennt seine Zuverlässigkeit und seine Devise und Begabung, zu versöhnen statt zu spalten. Wenn statt der Bundesversammlung das Volk den Bundespräsidenten zu wählen hätte, so würde ohne Zweifel Rau gewählt werden. In der Bundesversammlung kann möglicherweise die Entscheidung erst im dritten Wahlgang fallen, in dem die einfache Mehrheit genügt. Ich werde bei Johannes Rau bleiben.

Natürlich weiß ich, daß die vorstehenden Ausführungen zur Wahl des neuen Bundespräsidenten nach dem 23. Mai keine aktuelle Bedeutung mehr haben. Sie hier einzufügen lag mir gleichwohl am Herzen.

In näherer Zukunft werden Bundestag und Bundesrat mit Zweidrittelmehrheiten über eine Reihe von Vorschlägen zur Ergänzung des Grundgesetzes zu entscheiden haben. Es ist durchaus denkbar, daß dabei – sozialdemokratischen Vorschlägen folgend, die im wesentlichen Hans-Jochen Vogel formuliert hat – trotz bisheriger Ablehnung durch die CDU/CSU eine unmittelbare Bürgerbeteiligung durch Volksbegehren und Volksentscheid viele Befürworter findet; denn mancher wird zu der Überzeugung kommen, daß dies ein Weg sein könnte, die heutige Politikverdrossenheit in unserem Volk zu überwinden.

Die Zahl der bei dieser Gelegenheit insgesamt auf dem Tisch liegenden Änderungs- und Ergänzungsvorschläge ist groß. Dies liegt daran, daß nach der Vereinigung der beiden deutschen Nachkriegsstaaten die Vorstellung herrschte, das Grundgesetz müsse in vielen Punkten geändert werden, um den Deutschen aus *beiden* Staaten das Gefühl zu geben, ihren Erwartungen an die gemeinsame Grundlage werde Rechnung getragen; manche wollten deswegen am liebsten eine ganz neue Verfassung.

Ich selbst bin in dieser Frage eher zurückhaltend; mir ist schon in den letzten vierzig Jahren zu häufig und zu viel am Text des Grundgesetzes geändert worden. Mir wäre mehr Sinn für Stetigkeit und Tradition lieber. Dabei sind manche Formulierungen der letzten Jahre (beispielsweise der jüngst eingefügte, fast unleserliche Bandwurm-Artikel 23 zur Europäischen Union) bloß mühsam zustande gebrachte Kompromißformeln, die in Wahrheit keine ausreichende

Klarheit schaffen. Man darf aber «das Grundgesetz nicht zum Ausstellungsplatz von Formelkompromissen entwerten» (Jens Reich). Man darf das Grundgesetz auch nicht zum Supermarkt werden lassen, wo jedermann das finden kann, was er sich wünscht.

Das Grundgesetz ist in vielen Artikeln sehr klar und eindeutig. Dazu gehören die Vorschriften, welche die Einbettung der Bundeswehr und ihrer Streitkräfte in das demokratische Gefüge unseres Staates regeln und einer politischen Rolle, wie die Reichswehr sie in der Weimarer Zeit gespielt hat, vorbeugen. In meinen Augen stört es den inneren Frieden, daß Wolfgang Schäuble, Vorsitzender der CDU/CSU-Bundestagsfraktion, ohne jede Not versucht, die Bundeswehr in eine Polizeifunktion an den Grenzen des Landes zu drängen. Kein Politiker hat das Recht, aus dem Grundgesetz ein Gummiband zu machen – auch nicht in einem Wahlkampf.

Es gibt ein wichtiges Feld, das uns aktuell bedrückt, aber ohne Ergänzung oder Veränderung des Grundgesetzes nicht in gute Ordnung gebracht werden kann. Bei uns leben Hunderttausende von jungen Ausländern, die hier in Deutschland als Kinder ausländischer Eltern geboren wurden, die unsere Schulen besucht haben, gut Deutsch sprechen und schreiben – und denen wir gleichwohl die deutsche Staatsbürgerschaft verweigern. Das Grundgesetz macht in Artikel 116 die Abstammung (ius sanguinis = Recht des Blutes) zum Kriterium der Staatsbürgerschaft, nicht das Geburtsland (ius soli = Recht des Bodens). Dies geht auf ein Reichsgesetz aus dem Jahre 1913 zurück: Es wird hohe Zeit, daß wir diesen Teil der Ausländerproblematik bereinigen, um des inneren Friedens willen.

Wir müssen aber auch das Tabu beseitigen, das ganz allgemein über der Einbürgerungsfrage liegt. Sowohl die Vorschriften für Einbürgerung und Einwanderung als auch die Regeln für Asylgewährung müssen zwischen allen Staaten der Europäischen Union prinzipiell harmonisiert werden. Wenn dies nicht geschehen sollte, würde möglicherweise eines Tages die Offenheit der Grenzen zwischen den EU-Staaten wiederaufgehoben werden – das wäre ein schwerer Rückschlag.

Ich will mit diesem Hinweis keineswegs dem Gedanken einer «multikulturellen Gesellschaft» (Heiner Geißler) in Deutschland das Wort reden. Es ist gewiß nichts dagegen einzuwenden, daß auch Menschen aus Kulturen bei uns leben, die von der unsrigen grundverschieden sind. Es wäre aber eine Gefährdung unseres inneren Friedens, wenn wir Menschen aus solchen Kulturen in großem Maßstab in unser Land hereinholen wollten. Wir sollten vielmehr von dem Prinzip ausgehen, daß nur derjenige deutscher Staatsbürger werden kann, der sich ganz in unsere Sprache und in die bei uns gewachsene Kultur einfügen und einleben will.

Unsere Politiker müssen sich zur öffentlichen Debatte über die Einbürgerungsfrage durchringen; die bloße Zuerkennung des kommunalen Wahlrechtes an die lange bei uns lebenden Ausländer bleibt eine unzureichende Halbheit. Wer die Diskussion über diese Probleme nicht führen will, überläßt das Feld den extremen Randparteien, besonders der extremen Rechten.

Wahlkämpfe und politischer Wettkampf sind wichtig. Die Vertretung berechtigter Interessen ist legitim. Aber kein Wettstreit und kein Interessenkonflikt darf so weit getrieben werden, daß dabei das grundlegende Vertrauen in den inneren Frieden gefährdet wird. Der innere Friede ist kostbar. Wenn wir in ihn nicht vertrauen können, gerät das Vertrauen in den Staat in Gefahr.

Wir Deutschen haben 1989 einen großen inneren Konflikt unserer Nation zum guten Ende bringen können. Heute ist es wichtig, den inneren Frieden zwischen *allen* Teilen und *allen* Bürgern des Landes herzustellen. Versöhnung ist geboten. Sie muß auch diejenigen Landsleute einschließen, die der kommunistischen Ideologie anheimgefallen waren, jene Menschen im Osten, die ein Wegzeichen vermissen, auf welche Art und Weise sie ihre Lebenschancen in unserer Gesellschaft wahrnehmen können (Hans-Otto Bräutigam). Lernen wir von unserem polnischen Nachbarn Adam Michnik: Vergeben ist geboten, aber Vergessen wäre ein schwerer Fehler.

IV

Der äußere Friede
Warum wir Europa brauchen

Meine erste Klassenreise führte mich als Elfjährigen
von Hamburg nach Lübeck. Tief beeindruckt stand ich vor
dem wuchtigen Holstentor, aus Backsteinen im Mittelalter
aufgemauert. Über der Toreinfahrt stand in erhabenen gol-
denen Buchstaben ein lateinischer Wahlspruch: «Concordia
domi, foris pax.» Wir konnten kein Latein, aber unsere Leh-
rerin hat uns den Spruch übersetzt: «Eintracht zu Hause
und Frieden nach außen.» Ich habe mein ganzes Leben jene
vier lateinischen Worte nicht wieder vergessen.

Frieden nach außen ist genauso wichtig wie der innere
Frieden. Ein äußerer Konflikt, gar ein Krieg, kann vorübergehend einen weitgehenden inneren Frieden erzwingen; so
war das zum Beispiel im August 1914 in Deutschland oder
während des Zweiten Weltkrieges in England. Umgekehrt
kann der innere Frieden ohne äußeren Konflikt zerstört
werden; so geschehen in den späten Jahren der Weimarer
Republik. Aber Krieg ist das Schlimmste. Ohne den letzten
Weltkrieg wäre Auschwitz nicht möglich geworden; nicht
Stalingrad, nicht Dresden oder Hiroshima; nicht die Ver-
sklavung der Polen, der Ungarn, der Tschechen und Slowaken, der baltischen Nationen und vieler Völker auf der Bal-

kanhalbinsel – zunächst unter deutscher, danach unter sowjetischer Herrschaft, insgesamt ein halbes Jahrhundert lang.

Es war die Hoffnung auf eine dauerhafte Festigung des
Friedens mit Deutschland, die nach dem Ende des Zweiten
Weltkrieges Jean Monnet das Konzept der Vereinigten Staaten von Europa aufgreifen ließ. Winston Churchill hatte die
Franzosen schon 1946 aufgefordert, sich mit den Deutschen
zu versöhnen. Vier Jahre später kam Frankreich mit dem
Angebot des Schumanplanes auf uns zu, aus dem sich alsbald die Europäische Gemeinschaft für Kohle und Stahl ent-
wickelte – und daraus wurde dann schrittweise die Europäische Gemeinschaft.

Gleichzeitig aber handelten auch schon die Amerikaner.
Zunächst mit dem Marshallplan, den sie auch auf Deutschland erstreckten, später dann mit der Einladung an die Bundesrepublik Deutschland, der Allianz beizutreten, die ursprünglich, während des Krieges, gegen Deutschland gerichtet gewesen war. Nach dem NATO-Beitritt kamen der
Europarat und andere gemeinsame Einrichtungen der nicht-
kommunistischen Staaten Europas hinzu. Der Zug zur
westeuropäischen Integration war in voller Fahrt.

Die westeuropäische Integration hatte zwei Hauptmotive: zum einen die Bildung einer Barriere gegen Stalins Imperialismus, der auf Mitteleuropa zielte, auf den Balkan und
in den Mittelmeerraum; zum anderen – dies war das Hauptmotiv vor allem in Frankreich – die Einbindung Deutschlands. Aus diesem zweiten Grunde wurde ich schon früh,
vor Gründung der Bundesrepublik, ein Anhänger Jean
Monnets; ihm bin ich bis auf den heutigen Tag dankbar.
Denn ich war und bin immer noch davon überzeugt, daß wir
Deutschen uns in Europa fest einbinden müssen, damit die

alte Angst unserer Nachbarn vor uns nicht neue Feindschaften entstehen läßt. In diesem entscheidenden Punkt stimmten Schuman – und später de Gaulle – und Adenauer von
Anfang an überein.

Es blieb aber für die europäische Integration von Anfang
an die Frage offen: Wie weit reicht Europa, wer gehört dazu,
wer sollte dazugehören, auch wenn er Moskaus wegen nicht
darf? Charles de Gaulle, der 1958 die Regierung in Frankreich übernahm, hat geantwortet, Europa reiche vom At-
lantik bis zum Ural. So hatten wir es auch im Geographie-
unterricht in der Schule gelernt. Aber politisch war diese
Definition nicht viel wert, sie taugt auch heute nicht. Denn
wer will ernsthaft die riesigen Gebiete Rußlands zwischen
dem Ural und der Pazifikküste Kamtschatkas abschneiden
und die Russen, die dort leben, von den Russen diesseits des
Urals trennen?

Neben dem geographischen Begriff Europa gibt es den
kulturellen; kein Asiat, Afrikaner oder Amerikaner würde
die Tatsache einer zusammenhängenden europäischen Kultur bezweifeln. Es gibt keinen anderen Teil der Welt, keinen
anderen Abschnitt der Weltgeschichte, in dem über drei
Dutzend Nationen mit fast ebenso vielen Sprachen eine
weitgehend gemeinsame Literatur, Philosophie, Musik,
Malerei und Architektur geschaffen haben. Die Werke
Shakespeares, Verdis oder Picassos empfinden wir Deutschen genauso als Elemente unserer Kultur wie andere Europäer Dürer, Beethoven oder Kant als Faktoren der ihrigen.

Zu dem in Jahrhunderten gewachsenen Mosaik der europäischen Kultur haben auch die Russen beigetragen, Tschai-
kowski ebenso wie Dostojewski oder Chagall. Jedoch sind
weder die europäische Rechtstradition noch die politische

Kultur der Demokratie, noch die Grundelemente des freien Marktes bis Rußland vorgedrungen, während ansonsten fast alle Europäer die Prinzipien der Demokratie, der Gewaltenteilung zwischen Gesetzgebung, Regierung und Justiz, des Parlamentarismus und auch des Marktes übernommen haben.

Wer heute Solschenizyn und seine Schmährede auf die westliche Zivilisation liest, fühlt sich an Dostojewski erinnert, der vor gut einhundert Jahren schrieb: «Nicht die Kommunisten und Nihilisten werden Rußland zerstören, sondern diese verfluchten Liberalen.» Heute ermahnt der große Solschenizyn sein Volk: «Wir dürfen nicht kopieren, auch nicht den sogenannten demokratischen Pluralismus... In der ethnischen Vielfalt der Welt ist Rußland eine Welt für sich.» In der Tat: Das Riesenreich Rußland und das russische Volk sind nur zum kleineren Teil der Kultur Europas zugehörig, sie sind noch weniger Asien zugehörig. Sondern die russische Geschichte und die kulturelle Entwicklung Rußlands haben dieser Nation zu einer ganz eigenen Art verholfen.

Die Entstehung der europäischen Nationen begann vor etwa zehn Jahrhunderten; das zusammenhängende kulturelle Mosaik Europas, das sie seither geschaffen haben – wobei sie vieles voneinander übernahmen und weiterentwickelten –, ist auch deswegen so erstaunlich, weil sie gleichzeitig unendlich viele Kriege gegeneinander führten.

Das Schicksal des deutschen Volkes war es von Anfang an, in besonders viele Kriege verwickelt zu werden. Der entscheidende Grund dafür liegt in unserer geographischen Situation (oder, um ein Fachwort zu benutzen: in unserer geopolitischen Situation). Wir leben in dem engen, schmalen

Raum zwischen Ostsee und Alpen, im Westen, Süden und Osten unmittelbar von Nachbarn umgeben, und selbst die Ostsee im Norden ist eigentlich nur ein großer Binnensee. Dagegen haben die Portugiesen und die Dänen nur einen einzigen Nachbarn, die Spanier oder die Holländer haben zwei, die Briten haben gar keine unmittelbaren Nachbarn. Wir Deutschen, in der Mitte des kleinen europäischen Kontinents lebend, haben mehr direkte Nachbarn als irgendeine andere europäische Nation.

Immer wieder sind andere Völker gegen das Zentrum vorgestoßen, die Wikinger zu Schiff, asiatische Reitervölker zu Pferde, die Ungarn, später die Türken, die Schweden unter Gustav Adolf, die Franzosen unter Ludwig XIV. und unter Napoleon. Umgekehrt sind wir Deutschen, wenn wir stark waren, aus dem Zentrum hervorgestoßen, gegen Polen, gegen Frankreich und schließlich, in Hitlers Weltkrieg, gegen alle unsere Nachbarn gleichzeitig (die Schweiz war die einzige Ausnahme). Deshalb haben unsere Nachbarn während der letzten Generationen mehrfach Koalitionen gegen Deutschland gebildet; der Angeber Wilhelm II. hat eine Koalition gegen Deutschland großmäulig herausgefordert, der Verbrecher Hitler hat eine weltweite Koalition gegen uns blutig erzwungen.

Unsere Mitgliedschaft in der Europäischen Union und in der NATO kann an unserer geopolitischen Zentrallage nichts ändern, aber beide Bindungen haben die alte Bundesrepublik zu einem festen Bestandteil Westeuropas gemacht; dadurch wurde unseren westlichen Nachbarn die Sorge vor abermaligen deutschen Vorstößen genommen. Außerdem waren Westeuropa und die USA sich einig in ihrer Entschlossenheit zur militärischen Abwehr sowjetischer Ex-

pansionen in westlicher Richtung. Wir wären in dieser Lage
vollständig glücklich mit unserer Westeinbindung gewesen,
wenn Deutschland nicht geteilt gewesen wäre. Die Tatsache,
daß ein Teil der deutschen Nation unter sowjetischer Oberherrschaft leben mußte, war der wichtigste Grund dafür,
daß wir von 1969 an mit unserer Ostpolitik versucht haben,
die Verkrampfungen und Spannungen in unserem Verhältnis zum sowjetisch beherrschten Ostblock und zu den östlich von uns lebenden Völkern zu lockern. Dabei konnten
wir uns immer nur so weit nach vorn wagen, wie unsere
westlichen Verbündeten bereit waren mitzumachen.

Der Höhepunkt der Ostpolitik war die Konferenz über Sicherheit und Zusammenarbeit in Helsinki 1975 (KSZE-
Schlußkonferenz), bei der die Regierungschefs von Washington bis Moskau sowohl den Verzicht auf Gewalt gegen
andere Staaten als auch die Verpflichtung zur Einhaltung
der Rechte des einzelnen Menschen unterzeichnet haben,
eine Ermutigung für Sacharow in Moskau, für Wałesa und
Solidarność in Polen, für Havel und die Charta 77 in der
Tschechoslowakei und auch für die Opposition in der DDR.
Der sowjetische Einmarsch in Afghanistan und die Aufstellung der Mittelstreckenraketen SS 20 haben dann abermals
eine größere westliche Abwehrbereitschaft erforderlich gemacht; am spektakulärsten wurde dies durch den NATO-
Doppelbeschluß und seine Durchführung.

Der Zusammenbruch der Sowjetunion, die Befreiung der
Staaten im Osten Mitteleuropas und die Vereinigung der
beiden deutschen Staaten haben die bis dahin durch die
westlichen Zusammenschlüsse (EG und NATO) erfolgreich
aufrechterhaltene Gleichgewichtssituation gegenüber dem
Osten von Grund auf verändert. Denn die sowjetische Be-

drohung ist weggefallen. Jedenfalls erscheint es den meisten Westeuropäern so, während viele im Osten Europas fürchten, sie sei bloß durch eine russische Bedrohung ersetzt worden.

Aus polnischer und tschechischer Sicht ist aber auch die Vereinigung Deutschlands von großer Bedeutung; der deutsche Gewichtszuwachs löst Besorgnisse aus. Auch in Westeuropa gibt es Besorgnisse wegen Deutschlands heutiger Größe und seiner zukünftigen Macht. Aus diesen Gründen ist *Deutschlands kontinuierliche Selbsteinbindung in NATO und Europäische Union eine Beruhigung für alle unsere Nachbarn.* Daß sich Scharping und Kohl in diesem Punkt einig sind, ist auch für jeden Deutschen beruhigend, dem unsere prekäre geopolitische Situation bewußt ist.

Linksextreme, aber auch grüne Politiker, die gegen unsere Mitgliedschaft in der NATO polemisieren, sind deshalb zur Regierung genausowenig berufen wie rechtsextreme, aber auch CSU-Politiker, die gegen unsere Mitgliedschaft in der Europäischen Union vom Leder ziehen. Denn *es handelt sich bei unserer Einbindung in diese beiden wichtigsten Zusammenschlüsse des demokratischen Europa nicht um die Verwirklichung einer Ideologie oder eines schönen Ideals, sondern wir dienen damit vitalen deutschen Interessen.* Es ist unser Interesse, zu verhindern, daß europäische Staaten jemals wieder Anlaß haben, gegen uns zu koalieren. Dies ist der tiefere Sinn des Satzes in der Präambel des Grundgesetzes, wo es heißt, es sei unser Wille, «als gleichberechtigtes Glied in einem vereinten Europa dem Frieden der Welt zu dienen».

Die Europäische Union nach Maastricht

Sowohl die Europäische Union als auch die NATO haben in den letzten Jahren vielerlei Kritik auf sich gezogen. Es erscheint nützlich zu untersuchen, was davon berechtigt und wie Abhilfe möglich ist.

Das Maastrichter Vertragspaket vom 7. Februar 1992 hat erhebliche Kritik ausgelöst. Der Vertrag war von zahllosen Fachleuten und Bürokraten aus den zwölf Mitgliedsstaaten und aus der Brüsseler EG-Kommission lange vorbereitet worden. Als er schließlich fast fertig auf dem Tisch lag, waren längst andere Fragen in den Vordergrund getreten, zum Beispiel: Unter welchen Bedingungen werden Schweden, Finnland, Österreich, Norwegen und die Schweiz der Europäischen Union beitreten können? Unter welchen Bedingungen und wann sollen Polen, die Tschechische Republik, die Slowakei und Ungarn beitreten können? Wie gelangen wir zu einer gemeinsamen Politik gegenüber Rußland und den anderen souveränen Staaten der ehemaligen Sowjetunion? Warum gibt es immer noch keine gemeinsame Außen- und Sicherheitspolitik der EU? Was wird aus dem vor sich hin schlafenden Vertrag über die Westeuropäische Union (WEU), der einige NATO- und EU-Mitglieder umfaßt und der gemeinsamen Sicherheit dienen soll? Was kann die EU tun, um gemeinsam die steigende Arbeitslosigkeit und die Rezession zu beheben? Der Maastrichter Vertrag kam zur Unzeit, denn er hat keine dieser Fragen beantworten können; statt dessen hat er weitere Fragen hinzugefügt.

Das Vertragswerk leidet außerdem an seiner monumentalen Kompliziertheit. Es umfaßt einschließlich seiner zugehörigen 17 Protokolle und 33 Erklärungen sowie einschließlich des vielfach geänderten Textes des weiterhin geltenden EG-Vertrages insgesamt über zweihundert Druckseiten. Weil ich die politische Zielsetzung des Maastrichter Vertragswerkes gebilligt habe, bin ich auch für dessen Ratifikation eingetreten. Aber ich muß einräumen: Dies ist der komplizierteste und bürokratischste Vertrag, den ich je im Leben gesehen habe. Kein normaler Mensch kann ihn zur Gänze verstehen. Allein die Unlesbarkeit des Vertragspaketes muß Besorgnisse vor bürokratischer Überfremdung auslösen.

Während der zweijährigen Dauer des Ratifikationsprozesses war überdies eine Reihe von unerfreulichen Ereignissen und Fehlleistungen der Mitgliedsstaaten festzustellen. Manches davon hatten sie gemeinsam zu verantworten, zum Teil auch die zwölf Regierungschefs in Person. So waren sie bis zum Frühjahr 1994 unfähig, eine gemeinsame Politik gegenüber den menschenverachtenden Kriegen auf dem Boden des ehemaligen Jugoslawien zu finden. Sie konnten sich auch nicht zu einer gemeinsamen Politik gegenüber Kriegsflüchtlingen, Asylsuchenden und anderen Zuwanderern durchringen. Sie fanden weder eine wirksame gemeinsame Politik zugunsten der souverän gewordenen Staaten im Osten Mitteleuropas noch gegenüber Rußland und den anderen Nachfolgestaaten der ehemaligen Sowjetunion.

Obgleich sie sich gerade eben erst im Maastrichter Vertrag feierlich dazu verpflichtet hatten, konnten die zwölf Regierungen der EU keine gemeinsame Außen- und Sicherheitspolitik entwickeln. Sie stritten allzulange über den Kompromiß, der notwendig war, um den Konflikt zwischen den USA und der EU über die GATT-Runde (General

Agreement on Tariffs and Trade) zu beenden. Sie ließen das
Europäische Währungssystem (EWS) zerfallen – in erster
Linie aufgrund des Eigensinns Englands, Italiens, Frank-
reichs *und Deutschlands* –, obwohl sie sich doch gerade erst
im Maastrichter Vertrag auf die Herstellung einer Währungsunion verpflichtet hatten, für die das seit 1979 bestehende EWS die Vorstufe war. Sie ließen sich von EU-Prä-
sident Jacques Delors ein Weißbuch für Wachstum und
Beschäftigung in Europa vorlegen, nur um es anschließend
gleich beiseite zu schieben.

Der Maastrichter Vertrag ist ein Versuch, zu viele und zu
große Schritte auf einmal zu tun. Tatsächlich sind wir von
der im Vertrag postulierten gemeinsamen Außen- und Sicherheitspolitik noch weit entfernt. Wir sind von einer gemeinsamen Währung, wie sie der Vertrag spätestens für
1999 postuliert, heute weiter entfernt, als wir es Ende der
siebziger, Anfang der achtziger Jahre waren. Zu alledem
enthält der Vertrag vier praktisch unerfüllbare Bedingungen für die Herstellung einer gemeinsamen Währung – und
zwar auf deutsches Betreiben, obwohl auch Deutschland alle
diese Bedingungen gegenwärtig keineswegs erfüllen kann.
Die «Wirtschafts- und Währungs-Union», von welcher der
Vertrag spricht, bleibt aber ohne gemeinsame Währung
eine Selbsttäuschung; ebenso wie der vom Vertrag angeblich hergestellte gemeinsame Binnenmarkt bei einem Dutzend Währungen illusionär bleibt. Die völlig ausgeuferte
Agrarsubventions- und Protektionspolitik – und der dafür
benötigte steigende Finanzbedarf – bleiben praktisch unverändert bestehen.

Der Vertrag wird mit Sicherheit die europäische Bürokratie noch mehr anschwellen lassen, noch undurchsichtiger

und noch weniger kontrollierbar machen. Das im Vertrag postulierte Subsidiaritätsprinzip – nach welchem alles, was am Ort oder im einzelnen Staat entschieden werden kann, auch dort geregelt werden soll und für die Europäische Union gemeinsame Regelungen *nur hilfsweise (subsidiär)* verordnet werden sollen – bleibt blasse Theorie. Demgegenüber sind die Kontrollrechte des Europäischen Parlamentes viel zu eingeschränkt. Tatsächlich ist «die Frage, wie Europa verfaßt sein solle, . . . unverändert offen» (Hermann Lübbe).

Das Positivum des Maastrichter Vertragspaketes ist die Umbenennung der Europäischen Gemeinschaft (EG) in Europäische Union (EU) – wenn dies denn wirklich ein Fortschritt ist! Jedenfalls verspricht der anspruchsvolle Name weit mehr, als der Vertrag halten kann. Insgesamt lädt dieser bombastische Vertrag also zu vielfältiger Kritik ein. Ralf Dahrendorf, gewiß kein extremer Nationalist, ist so weit gegangen, ihn einen «Spaltungsvertrag» und eine «gigantische Nebensache» zu nennen, weil er keines der neuen Probleme in Europa löst, die seit dem Zerfall der Sowjetunion zutage getreten sind. Das Wort von der Spaltung ist leider nicht ganz falsch, denn tatsächlich – das haben die Volksabstimmungen in den Mitgliedsstaaten Frankreich und Dänemark gezeigt – sind die Meinungen über Maastricht gespalten. Es kommt hinzu, daß sich angesichts der Rezession in Europa, angesichts der Bosnien-Krise, ja angesichts aller inneren und äußeren Unzuträglichkeiten eine allgemeine Tendenz breitgemacht hat, die Schuld auf Brüssel zu schieben – in London, in Paris, in Bonn und anderswo. Es ist nicht abwegig, von einer europaweiten Post-Maastricht-Krise zu sprechen.

Stoiber und Brunner haben unrecht

Andererseits ist es unwahr und unredlich, wenn rechtsstehende deutsche Politiker wie Edmund Stoiber (CSU) oder Manfred Brunner (Bürgerpartei) den Eindruck erwecken, dieser Vertrag schade deutschen Interessen. Das Gegenteil wäre eher richtig: Wenn nämlich Deutschland den Maastrichter Vertrag abgelehnt hätte, wäre allenthalben in Europa sogleich der Verdacht aufgeflammt, Deutschland wolle nach der Vereinigung abermals versuchen, eigene Wege zu gehen. Das Wort vom möglichen deutschen «Sonderweg» spielt ohnehin schon eine zu große Rolle.

Stoiber hat bereits von einer besonderen deutschen Politik gegenüber Rußland gesprochen. Der Mann hat weder geschichtlichen noch außenpolitischen Überblick. Er weiß offenbar nicht, auf welch fatale Weise der deutsch-sowjetische Vertrag von Rapallo 1922 die Gegensätze zwischen Berlin und Paris vertieft hat; und er erinnert sich offenbar nicht an das Entsetzen, welches 1939 der Hitler-Stalin-Pakt in Polen und in ganz Europa ausgelöst hat. Stoibers Appell an den deutschen Nationalismus – mit dem er sich, wie er selbst sagt, in einen Gegensatz zu Adenauer und Strauß bringt – hat einen einzigen Zweck: Er möchte den rechtsextremen Republikanern das Wasser abgraben – selbst wenn er damit unser Verhältnis zu Frankreich und zu Polen gefährdet. Stoiber ist ein typisches Beispiel für einen deutschen Provinz-Außenpolitiker; es gibt davon mehrere, besonders bei den Grünen.

Die Auseinandersetzung, die Stoiber 1993 innerhalb der CDU/CSU über die Frage ausgelöst hat, ob die Europäische Union ein Bundesstaat oder ein Staatenbund sein sollte, ist müßig. Ebenso überflüssig sind die Ausführungen, die das Bundesverfassungsgericht gemacht hat. Denn tatsächlich ist die EU schon seit langem weder das eine noch das andere. Tatsächlich ist sie eine einzigartige Schöpfung, auf die überkommene Begriffe aus der deutschen Staatsrechtslehre und der Verfassungsdebatte des vorigen Jahrhunderts nicht anwendbar sind. Tatsächlich besteht sie aufgrund weitgehender Selbstverpflichtungen und weitgehender Teilverzichte auf Souveränität der Mitgliedsstaaten. Sie hat zwar keine gemeinsame Regierung, aber sie hat in Gestalt der Brüsseler Kommission doch eine eigene Exekutive, die allerdings auf Teilgebiete staatlichen Wirkens beschränkt ist. Sie hat ein gemeinsames Parlament, dessen Befugnisse freilich nur sehr langsam wachsen. Vor allem: Die Einigung Europas ist seit dem Schumanplan, dem Ausgangspunkt der europäischen Integration, im Fluß, und es ist müßig und abwegig, heute bereits die endgültige Gestalt der EU definieren zu wollen. Auch das Maastrichter Wort «Union» greift schon zu weit.

Abwegig sind auch intellektuelle Versuche in Deutschland, einer «Nation Europa» das Wort zu reden. Kein Franzose, kein Pole, keiner sonst käme auf diese Idee. Völker im Osten Mitteleuropas, im Baltikum, auf der Balkanhalbinsel und auf dem Gebiet der ehemaligen Sowjetunion haben im Zuge ihrer Selbstbefreiung sowohl persönliche Freiheit als auch nationale Selbstbestimmung zu ihrem wichtigsten Ziel gemacht.

Nationale Identität ist in unserem Zeitalter für die meisten eine seelische Notwendigkeit. Diese Notwendigkeit durch die Erfindung eines «Europa der Regionen» zu umgehen, könnte allenfalls im Baskenland, in Nordirland oder in

Südtirol Zustimmung finden. In Deutschland jedoch ist das
Wort vom «Europa der Regionen» nichts anderes als ein in-
tellektuelles Kunstprodukt. Würde es ernst genommen, wären zweierlei negative Wirkungen vorauszusehen. Zum
einen würde die politische Rechte mit großem innenpolitischen Erfolg den Begriff Nation für sich beschlagnahmen
und nationalistisch überhöhen. Zum anderen würde sich bei
unseren Nachbarn bei einer solchen Entwicklung neues
Mißtrauen gegenüber Deutschland entfalten.

Die Leipziger haben nicht gerufen «Wir sind *eine* Re-
gion», sondern selbstverständlich war ihnen der Ruf «Wir
sind *ein* Volk!» Seit Jahrzehnten erörtern wir alljährlich im
Bundestag die «Lage der Nation». Es wäre gut, wenn wir
endlich aufhörten, einen Bedeutungsunterschied zwischen
den Worten Volk und Nation zu machen. Abraham Lincoln
sprach von «the people», die amerikanischen Präsidenten
heute sprechen von «the nation»; selbstverständlich meinen
sie dasselbe.

Aber aufpassen müssen wir, daß die extreme Rechte aus
«Volk» nicht abermals «völkisch» ableitet – mit allen rassi-
stischen Untertönen dieses Wortes – und daß sie das Wort
«Nation» nicht mißbraucht für die Entfaltung eines neuen
Nationalismus. Nationalismus ist ein neurotischer Fundamentalismus, der in der eigenen Nation den höchsten Wert
sieht, er tendiert zu zerstörerischem Irrsinn.

Wirtschaftlicher Vorteil für alle Beteiligten

Wenn im Juni 1994 die Wahl zum Europäischen Parlament stattfindet, werden hoffentlich viele Wählerinnen und Wähler die Straßburger Abgeordneten fragen: Was habt ihr eigentlich bisher bewirkt? Und an die Kandidaten werden sie hoffentlich die Frage richten: Was werdet ihr unternehmen, um die immer weiter wuchernde Brüsseler Bürokratie zu beschneiden? Die Antworten werden insgesamt nicht sonderlich überzeugend ausfallen.

Das Straßburger Parlament hat sich ziemlich willfährig in das enge Korsett einschnüren lassen, das die Verträge ihm verpaßt haben. Kein Aufbegehren, kein mitreißender Appell, der Straßburg zur europäischen Tribüne gemacht hätte, nicht einmal mediengerechte öffentliche Anhörungen und Befragungen. Dabei hätte man gut einige der mittelmäßigen Brüsseler Kommissionsmitglieder samt ihren kleinkrämerischen, wichtigtuerischen Direktiven und Verordnungen über Kondome, Zigarettenpackungen, die Herstellung von Bier oder Gin und dergleichen bis zur Lächerlichkeit dem öffentlichen Spott preisgeben können. Wenn die Kandidaten für das Straßburger Parlament sich uns vorstellen, sollten wir jedem einzelnen eine der überflüssigen EG-Regulierungen vorhalten und die Frage daran knüpfen, was denn sie oder er dagegen unternommen habe oder unternehmen wolle.

Es wird uns Wählern schwerfallen, im europäischen Profil der Kandidaten beider Volksparteien große Unterschiede auszumachen. Die antieuropäisch gesinnten Republikaner werden wir bestimmt nicht nach Straßburg wählen (sie hatten dort einmal sechs Abgeordnete, fünf von ihnen haben inzwischen ihrer Partei den Rücken gekehrt, nur Schönhuber selbst ist übriggeblieben). Wir werden auch keine Kommunisten nach Straßburg schicken. Aber was unsere Auswahl zwischen den Parteien der linken und rechten Mitte betrifft, bleibt uns nichts anderes übrig, als unsere innenpolitische Richtungsentscheidung auch für Straßburg als Orientierung zu nehmen.

Wir erwarten von den Europa-Parlamentariern keine Propaganda für die europäische Integration, denn diese haben wir längst akzeptiert und bejaht. Sondern wir erwarten von ihnen Kontrolle der Bürokratie und einen öffentlich hörbaren, starken Widerpart gegen den Europäischen Rat und die sonstigen Räte, in denen die Regierungschefs, ihre Minister und ihre nationalen Bürokratien auf jeden Brüsseler Schelm mindestens anderthalb draufsetzen. Wir erwarten keine großen, im Ergebnis nicht erfüllbaren Phrasen à la Maastricht, auch keine neuen Visionen für Europa. Sondern wir wären schon sehr froh, wenn sie Schneisen in das Dikkicht der geltenden siebzehn völkerrechtlichen Verträge (einschließlich des Maastrichter Vertragswerkes) legten und sie zu einem einzigen, übersichtlich gegliederten, verständlichen Dokument zusammenfassen würden. Wir erwarten, daß unsere Europa-Parlamentarier dazu beitragen, daß Polen, die Tschechische Republik, Ungarn und die Slowakei von der EU anständig, kooperativ und ohne protektionistischen Egoismus behandelt werden.

Der Beitritt der bisherigen EFTA-Staaten (EFTA = Europäische Freihandelszone) Schweden, Finnland, Norwegen und Österreich beweist die ungebrochene Anziehungskraft der EU – trotz aller inneren Schwierigkeiten der EU und trotz der Post-Maastricht-Krise. Die Motive dieser Staaten sind andere als die, die vor über vierzig Jahren Churchill und Monnet bewegt haben; sie suchen eindeutig den wirtschaftlichen Vorteil, den sie sich mit Recht vom Gemeinsamen Markt der EU versprechen. Sie haben den enormen wirtschaftlichen Aufschwung Westdeutschlands nach 1949 miterlebt, der ohne den Gemeinsamen Markt niemals in solchem Ausmaß möglich gewesen wäre, und sie haben beobachten können, wie das Mitglied Italien beim Sozialprodukt pro Kopf und beim Einkommen das langjährige Nichtmitglied England überholt hat.

Dies sehen auch die politisch Verantwortlichen in der Schweiz; sie sind bisher an der zögernden Haltung ihrer eigenen Bevölkerung gescheitert, deren Mehrheit Souveränitätseinbußen und Einmischungen der EU befürchtet. Da sie aber als einziger EFTA-Staat übrigbleiben wird, ist damit zu rechnen, daß auch die Schweiz sich nicht mehr lange dem Argument des wirtschaftlichen Vorteils des großen Marktes verschließen kann.

Aus dem gleichen Grund streben die Polen, die Tschechen, die Ungarn und die Slowaken in die EU. Sie müssen zunächst ihre rechtliche, wirtschaftliche und monetäre Ordnung festigen; danach aber gibt es aus deutscher oder westeuropäischer Sicht keinen Grund, diese Staaten nicht aufzunehmen. Im Gegenteil: Es liegt in unserem Interesse, diese Völker in die EU einzubeziehen und ihnen durch die damit einhergehenden wirtschaftlichen Vorteile beim Aufbau von Demokratie und Marktwirtschaft zu helfen. Je gesünder unsere Nachbarn sind, um so besser für Deutschland.

Andererseits ist es abwegig, sich vorzustellen, es sei Aufgabe der EU, überall gleiche Lebensverhältnisse herzustel-

len. Wir haben in Deutschland nicht im Traum daran gedacht, gleiche Lebensverhältnisse zwischen Bochum oder
Gelsenkirchen und Konstanz oder Oberbayern herzustellen,
zwischen Ostfriesland und Stuttgart. Ebenso illusionistisch
wäre der Versuch, Gleichheit der Lebensverhältnisse zwischen Neapel, Stockholm und Kattowitz erreichen zu wollen. Die EU muß zwar weit zurückgebliebenen Gebieten
helfen; aber entscheidend bleiben die Eigenarten und die eigenen Anstrengungen der Menschen in den verschiedenen
Teilen Europas.

Die Europäische Union erfüllt
vitale deutsche Interessen

*So ist also zu den beiden ursprünglichen Hauptmotiven für
die europäische Integration – Deutschland einzubinden und
eine Barriere gegen den sowjetischen Imperialismus zu bilden – inzwischen ein starkes drittes Hauptmotiv hinzugekommen, nämlich der wirtschaftliche Vorteil für alle Beteiligten.* Dieser Vorteil kommt in hohem Maße auch uns
zugute, obschon er nicht unser ursprüngliches Motiv war
und obgleich Deutschland heute der bei weitem größte
Netto-Zahler der EU ist.

Manche deutschen Gegner der europäischen Integration
führen letzteres als einen angeblich überzeugenden Grund
gegen eine deutsche Mitgliedschaft in der EU an. Dazu ist
dreierlei zu sagen: Zum ersten entspricht der deutsche Anteil an der Finanzierung der EU ziemlich genau unserem
Anteil am gesamten Sozialprodukt der EU, nämlich einem
guten Viertel. Zum zweiten fließt zwar weniger aus dem

EU-Budget in die deutsche Volkswirtschaft zurück, als wir zahlen; netto gerechnet zahlen wir mehr, als wir erhalten («Netto-Zahler»). Das ist aber in keinem Finanzausgleichsystem anders, auch nicht im Finanzausgleich innerhalb unseres eigenen Staates; die reichen Länder zahlen mehr, die armen Länder erhalten mehr. Zum dritten ist allerdings die Netto-Zahler-Position Deutschlands im Vergleich zu anderen reichen EU-Staaten ungewöhnlich groß; wir sind in der Vergangenheit äußerst großzügig gewesen. Weil wir seit der Vereinigung nicht mehr zu den Reichsten gehören, sollten wir in Zukunft etwas zurückhaltender sein als die Regierung Kohl / Kinkel / Waigel.

Übrigens hat die Bundesbank abermals ihre Aufgaben politisch überschritten, als sie vor kurzem unsere Netto-Zahler-Position offiziell vorgerechnet hat. Sofern der Bundestag genaue Zahlenaufstellungen verlangen sollte, wäre es Sache des Bundesfinanzministers, die Antworten und die Zahlen vorzulegen und zu interpretieren; keineswegs ist dies Sache der Bundesbank. Ihre öffentlichen, unaufgeforderten Darlegungen, noch dazu ungenau, können leicht von den antieuropäisch gesinnten Protestparteien mißbraucht werden. Bei mir nähren sie den Eindruck, als seien einige Personen in der Bundesbank-Spitze im Grunde selbst antieuropäisch eingestellt.

Die allgemeinen politischen und wirtschaftlichen Vorteile, welche die EU uns Deutschen bietet, überwiegen bei weitem den Nachteil der Netto-Zahler-Position. Außerdem hat die EU längst einen zusätzlichen strategischen Vorteil für uns: Wir sind, hinter den USA und Japan, seit langem eine der drei wichtigsten Handelsnationen der Weltwirtschaft; der deutsche Außenhandel spielt für unser wirtschaftliches Wohlergehen eine weitaus größere Rolle als der amerikanische oder der japanische Außenhandel für die dortige Wirtschaft und Beschäftigung. Gegen den schwergewichtigen Handelsblock der USA, noch dazu im Verbund mit Kanada und Mexiko (North American Free Trade Area – NAFTA), und angesichts der ständigen Handelskonflikte zwischen den USA und Japan könnte Deutschland allein unter die Räder kommen, wenn es die EU nicht gäbe. Wir brauchen die EU zur Wahrung unserer Ex- und Importinteressen, zur Aufrechterhaltung des Gleichgewichtes mit USA/NAFTA und Japan.

Die Besorgnis mancher deutscher Unternehmer angesichts der Post-Maastricht-Krise ist deshalb verständlich. Ich teile diese Sorgen allerdings nur bis zu einem gewissen Grade. Denn seit 1953 habe ich mindestens fünf schwere Krisen der europäischen Integration miterlebt, und jedesmal haben die der Gemeinschaft zugrunde liegenden strategischen Hauptmotive nach einiger Zeit die Krise überwinden helfen. Deshalb erscheint mir auch die Überwindung der gegenwärtigen Krise wahrscheinlich – allerdings nicht mehr unter der Regierung Kohl/Kinkel/Waigel, die an manchem Fehler des Maastrichter Vertrages und am Kollaps des EWS ursächlich beteiligt gewesen ist. *Die EU ist und bleibt einer der wichtigsten Pfeiler deutscher Außenpolitik, sie ist ein fundamentaler Faktor unserer wirtschaftlichen Kraft.*

Die meisten EU-Mitgliedsstaaten haben ähnliche Probleme mit ihrer industriellen Struktur und deshalb auch eine vergleichbar hohe Arbeitslosigkeit wie wir. Wir können diese Gefährdungen nur dann überwinden, wenn wir die Solidarität innerhalb der Europäischen Union erhalten. Der Streit, ob eine Erweiterung der EU durch neue Mit-

gliedsstaaten oder eine «Vertiefung» der EU gemäß dem
Maastrichter Vertrag den Vorrang haben muß, ist dabei
ohne Bedeutung; es ist nach aller bisherigen Erfahrung ein
bloß theoretischer Streit. Seit dem ersten Beitrittsversuch
Englands unter der Führung von Harold Macmillan vor
mehr als dreißig Jahren (damals löste de Gaulles Veto die
zweite Krise der europäischen Integration aus) hat die Gemeinschaft schrittweise ihre Institutionen ausgebaut oder
«vertieft» und zugleich neue Mitgliedsstaaten aufgenommen. Die neuen Mitglieder mußten immer den jeweiligen
Stand der gemeinsamen Institutionen und Instrumente akzeptieren. Das wird auch in Zukunft nicht anders sein.

In den Mitgliedsstaaten hat die Mitgliedschaft in der EU
in heilsamer Weise dazu beigetragen, den extremen Nationalisten schrittweise den Boden zu entziehen. Das wird auch
in Zukunft, so hoffe ich, nicht anders sein. Auch den wie
Pilze aus den Nährgründen der deutschen Vereinigungskrise und der Arbeitslosigkeit hervorschießenden deutschen
Chauvinisten können wir den Garaus machen – *wenn* wir
uns als Wähler auf die Parteien der Mitte konzentrieren und
uns damit für Europa entscheiden.

Unsere äußere Sicherheit heißt NATO

Die nordatlantische Allianz und ihre als NATO unter ge-
meinsamem Befehl zusammengefaßten Streitkräfte haben
ihre strategische Aufgabe gegenüber dem sowjetischen Imperialismus und dessen gewaltiger politischer und militärischer Macht erstaunlich gut erfüllt. Zu keinem Zeitpunkt
hat es Moskau gewagt, das Territorium eines der in der Al-

lianz verbündeten Staaten zu verletzen; Abschreckung und
tatsächliche Verteidigungsfähigkeit waren immer ausreichend. Allerdings konnte die Allianz nicht die sowjetischen
Einmärsche in Ungarn 1956, der Tschechoslowakei 1968
und Afghanistan 1979 verhindern; alle drei Länder lagen
außerhalb des von der NATO vertragsgemäß zu schützen-
den Gebietes.

Die alte Bundesrepublik Deutschland – und so auch die
Halbstadt Westberlin – hat sich unter dem Schutz der
NATO immer sicher fühlen können. Voraussetzung dafür
waren die Führung der Allianz durch die USA und die Anwesenheit amerikanischer Truppen auf deutschem Boden
sowie umgekehrt die deutsche Beteiligung an der gemeinsamen Verteidigung. Im Rückblick scheint die Kuba-Raketen-
krise 1962 der Wendepunkt gewesen zu sein, von dem ab
Chruschtschow und seine Nachfolger keinen Versuch zur
Verletzung von NATO-Gebiet – und Westberlin – mehr ge-
plant haben.

Der innere Zusammenbruch der Sowjetunion hat die
NATO ihres gewohnten Gegners und, so könnte es scheinen, damit auch ihres Zweckes beraubt. Jedoch könnte dieser Eindruck täuschen. Liest man die größenwahnsinnigen
Reden von Wladimir Schirinowski, dem Führer der größten
Fraktion im russischen Parlament, betrachtet man seine
Aufteilungspläne für Osteuropa, nach denen Rußland und
Deutschland abermals polnische Gebiete erhalten sollen,
hört man seine antisemitischen Parolen und stellt zuletzt
seine engen Verbindungen zu russischen Militärs und zum
ehemaligen KGB in Rechnung – dann wäre es Leichtsinn,
jedwede Gefahr aus dem Osten ein für allemal für beendet
zu halten. Die Entwicklung der inneren wie der äußeren Po-

litik Rußlands ist unklar; historisch betrachtet, ist es keineswegs auszuschließen, daß «national-patriotische» Kräfte in Moskau die Oberhand gewinnen und eine neoimperialistische Politik betreiben. Der Putschversuch 1993 muß nicht der letzte gewesen sein. Auch ohne jeden Putsch sind russische Truppen an einer Reihe von lokalen Kriegen beteiligt, die sich gegenwärtig auf dem Boden souveräner Nachfolgestaaten der Sowjetunion abspielen; der Zweck ist offenbar, diese unter russische Botmäßigkeit zurückzuholen.

Diese Entwicklungen werden besonders in Polen, das eine lange Grenze gegen Osten hat, aber auch in den baltischen Staaten, in Prag, Budapest und Bratislava mit Besorgnis betrachtet. Die latente Sorge, eine künftige deutsche Rußland-Politik könnte Moskau entgegenkommen, wird in Warschau im allgemeinen zwar nur leise ausgesprochen, aber im Januar 1994 hat der polnische Außenminister Andrzej Olechowski in einem offiziellen Interview polnische Befürchtungen hinsichtlich einer deutschen Beschwichtigungspolitik gegenüber Moskau bestätigt. Aus zwei Gründen möchte man in Warschau, daß Polen Mitglied der nordatlantischen Allianz wird: vornehmlich aus offen geäußerter Sorge vor Rußland, aber auch aus leise geäußerter Sorge vor uns Deutschen. Wer die Geschichte der vier polnischen Teilungen kennt und besonders das Schicksal Polens unter Hitler und Stalin, der wird dies gut verstehen können.

Ich selbst halte die 40 Millionen Polen nächst den Franzosen für unsere wichtigsten Nachbarn; sowohl wegen der Bedeutung Polens und wegen unserer langen gemeinsamen Grenze als auch angesichts der deutsch-polnischen Geschichte. Gleichwohl scheint mir das Zögern der nordatlantischen Allianz vernünftig, Polen, die Tschechische Repu-

blik, die Slowakei und Ungarn bald als Mitglieder aufzunehmen. Die NATO-Gipfelkonferenz Anfang 1994 hat diesen
Staaten im Osten Mitteleuropas statt dessen unter Präsident
Clintons Führung eine «Partnerschaft für den Frieden» angeboten; sie soll Informationsaustausch, gemeinsame Trup-
penübungen und Konsultationen im Krisenfall umfassen.
Aus der Sicht der Regierungen in Warschau, Prag, Budapest
und Bratislava hat diese auf Zeitgewinn gerichtete Initiative
jedoch einen Pferdefuß: Das gleiche Angebot erging auch an
Rußland und alle anderen Nachfolgestaaten der ehemaligen
Sowjetunion sowie an alle einstigen Warschauer-Pakt-Staa-
ten. Die Beteiligung der Nachfolgestaaten der ehemaligen
Sowjetunion auf gleicher Ebene mit den Polen, Ungarn,
Tschechen und Slowaken war gewiß ein Fehler; die Beteiligung der zentralasiatischen, kaukasischen und transkauka-
sischen Republiken geht entschieden zu weit.

Man sollte wegen dieser Partnerschaftszwischenlösung
aber weder Clinton allzusehr tadeln noch Kohl, der daran
mitgewirkt und sie begrüßt hat. Die Allianz hat damit Rücksicht genommen auf russische, aber auch auf ukrainische
und andere Interessen. Jedoch wäre eine Wiederbelebung
und Ausgestaltung der Konferenz für Sicherheit und Zusammenarbeit in Europa (KSZE) für Rußland und die anderen Nachfolgestaaten durchaus ausreichend gewesen.

Eine Ausweitung des NATO-Territoriums hingegen
hätte für die russischen Politiker und Militärs eine kaum
hinnehmbare Zumutung bedeutet. Wenn die Grenze des
NATO-Territoriums, das 1990 von Elbe und Werra an Oder
und Neiße vorverlegt wurde, innerhalb eines halben Jahr-
zehnts zum zweitenmal nach Osten verschoben werden
würde, diesmal bis an die russische Westgrenze, müßte ein

solcher Akt zwangsläufig Spannungen erzeugen; denn immer noch sehen die russischen Generale, die alten Kommunisten und die neuen Nationalisten die atlantische Allianz als ihren Gegner. Andererseits darf die Allianz nichts tun oder zulassen, was in Moskau und in Warschau als stillschweigende Rücksichtnahme auf eine von Moskau etwa beanspruchte russische Einflußsphäre im Osten Mitteleuropas verstanden werden könnte. Der Westen darf in Moskau keinen Zweifel darüber aufkommen lassen, daß wir die Souveränität Polens und der anderen Staaten im Osten Mitteleuropas als unantastbar betrachten.

Deshalb kann ich mir eine NATO-Garantie für die Integrität Polens und für seine Freiheit von äußerer Einmischung durchaus vorstellen, auch für die anderen obenerwähnten Staaten. Allerdings würde dies zweierlei voraussetzen: eine verbriefte Unverletzlichkeit der Grenzen und verfassungsmäßig garantierte Rechte für die vielen nationalen Minderheiten. Die NATO darf keine offenen Messer unter ihren Mantel nehmen.

Es entspricht der Lehre der Geschichte und vernünftigem sicherheitspolitischen Kalkül, wenn Deutschland mit Rußland zusammenarbeitet. Aber wir dürfen uns dabei nicht auf Boris Jelzin allein konzentrieren; er wird Nachfolger haben. Wir dürfen das Baltikum und die Ukraine nicht außer acht lassen. Und wir dürfen auf gar keinen Fall polnische Interessen und Gefühle verletzen. Und zuletzt, aber nicht als geringste Maxime: Wir dürfen uns bei alledem weder von den USA noch von Frankreich oder England, noch überhaupt von der atlantischen Allianz entfernen.

Unsere Sicherheitspolitik ist nicht im Streit zwischen den beiden Volksparteien. Dies wird wohl auch 1994 so bleiben, wenngleich einzelne Politiker beider Volksparteien zu den oben behandelten Themen durchaus recht verschiedene Auffassungen und Vorschläge öffentlich vortragen und auch in der veröffentlichen Meinung Abweichendes zu lesen ist. Gegenwärtig gilt das gleiche für den grauenhaften Krieg in Bosnien.

Bosnien liegt außerhalb des NATO-Gebietes, unsere Allianz hat rechtlich dort keine Pflichten. Wohl aber haben der Sicherheitsrat der UN und daraufhin der UN-Generalsekretär in vielfältiger Weise versucht, schlichtend und zugunsten der zivilen Bevölkerung einzugreifen. Mehrere UN-Mitgliedsstaaten haben Truppen entsandt, die EU hat zwei ehemalige Außenminister beauftragt, Lösungsvorschläge zu erarbeiten und mit den drei Kriegsparteien – den orthodox-katholischen Serben, den römisch-katholischen Kroaten und den bosnischen Muslimen – darüber zu verhandeln. Diese Bemühungen sind bisher ohne Erfolg geblieben; infolgedessen hat sich die Lage der von zwei Feinden angegriffenen Muslime von Woche zu Woche verschlechtert.

Weil uns die schlimmen Leiden der bosnisch-muslimischen Menschen täglich vor Augen geführt werden, wächst überall die Erbitterung darüber, daß weder die UN mit den ihr unterstellten Truppenkontingenten noch der Westen insgesamt, noch die Europäische Union den Willen zu haben scheinen, den Krieg zu ersticken. Die Erbitterung wächst: unter den Muslimen der ganzen Welt, in den USA, in Europa und auch in Deutschland. Viele schelten die NATO wegen ihrer Passivität, sie verlöre darüber ihre Identität; andere, vornehmlich in Frankreich, England und den USA, verlangen Bombenangriffe auf die serbischen Artilleriestellungen rund um Sarajevo. Wieder andere, die auf die diplomatische Mission der ehemaligen Außenminister Vance, Owen und Stoltenberg gehofft hatten, sind über deren Vorschläge zu Lasten der Muslime entsetzt.

Es ist eine geschichtliche Tatsache, daß der Frieden auf der Balkanhalbinsel und speziell auf dem Boden des nachmaligen Kunststaates Jugoslawien auch im 19. Jahrhundert nur dem Einfluß starker Mächte zu verdanken war. Nachdem das Osmanische Reich und die österreichisch-ungarische Doppelmonarchie 1919 von der Karte verschwunden waren, konnte erst wieder nach 1945, bei anhaltenden schweren Spannungen zwischen den Nationen und Nationalitäten, ein einigermaßen friedlicher Zustand hergestellt werden. Die entscheidenden Faktoren dabei waren die bedrohliche Anwesenheit des Warschauer Paktes in Ungarn, Rumänien und Bulgarien einerseits, andererseits das eiserne und zugleich intelligente Regiment des Diktators Tito. Dieser befehligte einige hunderttausend Mann an Truppen, Sicherheitskräften und Geheimdiensten.

Nach Titos Tod 1980 war es nur eine Frage der Zeit, wann Jugoslawien auseinanderfallen würde. Als 1991 der Warschauer Pakt zerfiel und damit auch die Furcht vor einem Eingreifen Moskaus schwand, waren die Auflösung Jugoslawiens und der Beginn von Feindseligkeiten zwischen seinen Völkern praktisch unausweichlich. Denn es handelt sich um uralte Feindschaften zwischen Völkern, deren Siedlungsgebiete zwar seit ewigen Zeiten ineinander verzahnt sind, die sich aber zugleich voneinander absetzen.

Die Wahrheit ist: Wer dort von außen dauerhaften Frieden aufrechterhalten wollte, der müßte ständig mindestens 100000 Mann Truppen an Ort und Stelle auf dem Boden

einsetzen. Dazu sind aber weder die UN noch die NATO
bereit; auch würde die öffentliche Meinung in den demokratischen Staaten des Westens dies auf Dauer nicht erlauben,
zumal dann nicht, wenn immer wieder Särge mit toten Soldaten in der Heimat eintreffen.

Kleinere Einsätze der Truppenkontingente der UN oder
auch begrenzte militärische Aktionen werden, zusammen
mit den diplomatischen Anstrengungen des Westens, immer nur vorübergehende Wirkung zeigen. Aber diese Einschränkung ist kein Grund, den ernsthaften Versuch zur Be-
friedung – auch mit militärischer Gewalt – zu unterlassen.
Bisher allerdings haben der Westen und die UN von Anfang
an unentschlossen operiert; deshalb hat es auch Rußland
bisher nicht für nötig befunden, seine proserbischen Sympathien und Interessen nachdrücklicher zu vertreten. Aber
das kann noch kommen; ebenso wie die proserbischen Sympathien und Interessen des EU- und NATO-Mitgliedes
Griechenland noch erhebliche Schwierigkeiten verursachen
können.

Wir Deutschen empfinden Entsetzen und Mitleid. Darüber hinaus haben wir auch ein eigenes Interesse am Frieden
auf dem Boden des ehemaligen Jugoslawien. Denn der
Strom von Kriegsflüchtlingen macht uns große Schwierigkeiten; bisher haben wir ebenso viele Kriegsflüchtlinge aufgenommen wie alle anderen (nichtjugoslawischen) Staaten
Europas zusammen. Unsere Lage, die geographische Nähe,
dazu unser Wohlstand, all das macht Deutschland zum Ziel
vieler Menschen, die aus ihrer Heimat herausgebombt wurden.

Gleichwohl sollten wir sowohl in den UN als auch in den
Ministerräten der NATO und der EU unsere Interessen

nicht mit Getöse vertreten. Denn welche militärisch-operativen Beschlüsse bezüglich der jugoslawischen Nachfolgestaaten auch immer zur Entscheidung anstehen, Deutschland wird sich nicht mit Kampftruppen daran beteiligen. Man darf aber nicht die Trompete blasen, wenn man sich anschließend zum Jagen nicht einmal tragen lassen will.

Deshalb war der Druck Bonns auf eine frühzeitige Anerkennung der Souveränität Kroatiens unglücklich. Die Bundesregierung mußte wissen, daß die Grenzen dieses neuen Staates umstritten waren, sie mußte den Krieg vorhersehen; sie wußte aber auch: Wir werden uns an dem Krieg nicht beteiligen.

Kohl und Scharping sind sich einig in dem Prinzip, keine deutschen Kampftruppen auf die Balkanhalbinsel zu entsenden. Dabei muß es noch lange bleiben, ungeachtet etwaiger UN- oder NATO-Beschlüsse. Denn auf der Balkanhalbinsel ist die Erinnerung an die Leiden der Menschen unter Hitlers Besetzung noch sehr lebendig. Diese Erinnerung würde es einer bedrängten Kriegspartei leichtmachen, den Deutschen die Schuld an menschlichen Katastrophen zuzuschieben – und zahlreiche Journalisten in aller Welt würden die Beschuldigungen übernehmen. Die Schatten des Hitlerschen Weltkrieges sind lang. Durchaus beteiligen können wir uns hingegen an medizinischer Versorgung, Lebensmittelversorgung usw., wie wir es auch schon in Somalia getan haben.

Die gesamte Balkanhalbinsel wird auf absehbare Zeit ein Gebiet immer wieder neu aufflackernder Konflikte bleiben. Nicht nur die sechs Teilrepubliken und zwei autonomen Gebiete des ehemaligen Jugoslawien, sondern auch Albanien, Griechenland, die Türkei, Bulgarien, Rumänien, Molda-

wien, selbst Ungarn, sind von den latent schlummernden
Konflikten betroffen. «Was passiert, ist immer das Unerwartete», hat der frühere NATO-Generalsekretär Lord Carrington gesagt. Deshalb wäre es unklug und würde die politische
Kraft, den politischen Zusammenhalt und die Fähigkeiten der
NATO weit überfordern, wollte sie ihren Bündnisauftrag auf
jene unruhige Gegend im Südosten Europas ausdehnen.

Was die Zukunft der NATO angeht, hat Peter Carrington
gesagt, so sei es «das Beste, was dem Bündnis geschehen
könnte, wenn wir es einstweilen so ließen, wie es ist». Dies
wäre auch für Deutschland das Beste. Denn wir möchten
auch künftig unter dem Schutze dieses Bündnisses vor Konflikten und Kriegen bewahrt bleiben, die sonst nach Mitteleuropa hereinschwappen könnten.

Deutschland braucht sich nicht zu verstecken, wir haben
bis auf den heutigen Tag unsere Rolle im Bündnis erfüllt
und unseren angemessenen Beitrag geleistet. Wir brauchen
deshalb auch nicht krampfhaft nach neuen Aufgaben für unsere Soldaten und für die Bundeswehr insgesamt zu suchen.
Der Ehrgeiz des F.D.P.-Außenministers Klaus Kinkel, der
sich sehr um deutsche Mitwirkung an militärischen Einsätzen außerhalb des NATO-Gebietes bemüht, zielt in die falsche Richtung. Noch überflüssiger war es, daß er und Verteidigungsminister Volker Rühe, Minister des gleichen
Kabinetts unter Helmut Kohl, sich vor dem Bundesverfassungsgericht als Kontrahenten darüber gestritten haben.
Wer ohne Not die Bundeswehr in den innerpolitischen
Streit zieht, der stiftet Schaden. *Die Bundeswehr muß aus
den Wahlkämpfen des Jahres 1994 allseits herausgehalten
werden.*

Ebenso unnötig ist Kinkels Ehrgeiz, gedeckt durch Kanzler Kohl, den Deutschen einen ständigen Sitz im Sicherheitsrat der UN zu ergattern. Der Sicherheitsrat hat seit 1945 fünf ständige Mitglieder: USA, Frankreich, England, China und Rußland. Alle fünf sind atomstrategische Mächte, sie haben gemäß der UN-Satzung das Veto-Recht, mit dem sie jeden Beschluß verhindern können. Warum muß Deutschland einen solchen Weltmachtrang anstreben? Dies ist Großmannssucht und erinnert an die Phrase aus der Zeit Wilhelms II., Deutschland habe Anrecht auf einen «Platz an der Sonne». Ebenso überflüssig ist der umfangreiche deutsche Export an militärischen Waffen und Rüstungsgütern; unter der Regierung Kohl/Kinkel wurde Deutschland zum drittgrößten Rüstungsexporteur der Welt.

Führung in Europa

Die Post-Maastricht-Krise hat es offenbar werden lassen: Die Staatslenker der Mitgliedsstaaten der EU waren nicht auf der Höhe der Zeit, sie haben voreilig Probleme zu lösen versucht, die erst in Zukunft dringlich werden, dagegen haben sie viele der heute wirklich drängenden Fragen nicht beantwortet. Ähnlich in der NATO. Es bedurfte des Amerikaners Clinton, um für die Sicherheitsprobleme im Osten Europas wenigstens die zeitgewinnende Zwischenlösung der «Partnerschaft für den Frieden» zu präsentieren. Die europäischen Regierungschefs und ihre Minister waren erleichtert und stimmten zu.

Die Europäische Union und die Nationen Europas müssen von Europäern geführt werden, im Innern wie nach außen.

Aber die Völker Europas sind alte Nationen, sie sind skeptisch, weil sie mit dem schweren Gepäck gräßlicher historischer Fehlschläge beladen sind. Die Erfahrung des überaus blutigen 20. Jahrhunderts hat ihre Staatsmänner Vorsicht gelehrt; diese mündet heute in Scheu vor dem Risiko und in Ausweichen vor den Notwendigkeiten.

Immerhin haben wir in den letzten fünfzig Jahren zweimal eine Welle von Mut und Tatkraft erlebt. Zum einen, als nach dem Ende des großen Krieges die Staatsmänner Westeuropas ihre Völker zum Wiederaufbau ermutigten und zur Schaffung der großen Zusammenschlüsse der Europäischen Gemeinschaft und der NATO. Zum anderen, als Gorbatschow, Wałesa, Havel und ihre Mitstreiter die kommunistischen Diktaturen aufbrachen. Gorbatschow ist dabei zwar persönlich gescheitert, aber der Kampf um die Demokratie in Rußland ist noch nicht verloren; und im Osten Mitteleuropas sind große Hoffnungen auf einen guten Ausgang gerechtfertigt. Allerdings sind die alten Kulturnationen Europas, von den Portugiesen bis zu den Norwegern und von den Polen bis zu den Iren, noch weit davon entfernt, entsprechend ihrer in eintausend Jahren geschaffenen gemeinsamen Kultur eine gemeinsame wirtschaftliche Form zu entwickeln und diese in ein gemeinsames politisches Gebäude einzufügen.

Wir brauchen deswegen nicht zu verzagen, wir müssen deshalb auch keine Angst vor der Zukunft haben. Bäume wachsen langsam, und der Baum der europäischen Integration ist erst 1950 gepflanzt worden – damals war er nur ein ganz kleines Bäumchen. Am Anfang war es der Wille führender Franzosen, sich mit den Deutschen zu versöhnen und die Deutschen einzubinden, der dem Bäumchen den Nährboden gegeben hat. Die Entente zwischen Deutschen und Franzosen bleibt auch morgen unverzichtbar. Aber heute, da der Baum längst kräftige Wurzeln geschlagen hat, hängt sein weiteres Wachstum davon ab, daß seine Wurzeln sich auch in den Osten Mitteleuropas ausstrecken können. Dafür ist die Aussöhnung zwischen Polen und Deutschen unerläßlich, dafür hat Willy Brandt in Warschau einen Anfang gemacht.

Geographische Gegebenheiten, geschichtliche Erfahrungen und politische Traditionen machen es einigen europäischen Nationen schwerer als anderen, am Bau des gemeinsamen Gebäudes mitzuwirken und sich selbst als Baustein einzufügen. Das gilt für die Griechen, obgleich ihre Vorfahren es waren, die vor zweieinhalbtausend Jahren in Athen und in Olympia den Grundstein zur europäischen Kultur gelegt haben. Es gilt auch für die Engländer, obgleich sie für ganz Europa, ja für die ganze Welt die Tradition der Demokratie und der parlamentarischen Regierung begründet haben.

Es gilt auch für uns Deutsche, die wir über Jahrhunderte an unserer Zentrallage gelitten haben und andere daran haben leiden lassen. Die Westdeutschen haben sich seit fünf Jahrzehnten langsam, aber mit wachsender Tiefe in die westliche politische Kultur eingebracht und eingebunden; die Ostdeutschen waren davon ausgeschlossen und haben jetzt vieles nachzuholen. Für die überschaubare Zukunft wird unser deutscher Beitrag zur Europäischen Union wesentlich davon abhängen, wie schnell wir die Vereinigungskrise überwinden und ob wir der Versuchung zu einem «deutschen Sonderweg» zwischen Ost und West widerstehen.

Die weitere Entwicklung der europäischen Integration bedarf entschlossener Führung durch die politische Klasse der beteiligten und der zu beteiligenden Staaten. Nicht aber bedarf sie deutscher Führung. Das Gewicht Deutschlands ist seit der Vereinigung sehr groß, und es wird weiter in dem Maße wachsen, in dem unsere vereinigte Wirtschaft ihre regionalen Strukturunterschiede überwindet. Schon aus wirtschaftlichen Gründen wird man in Europa jedes Wort deutscher Politiker, Unternehmer und Banker ernst nehmen. Was die weitere politische Integration Europas und die erstrebte gemeinsame Außenpolitik betrifft, wird es aber immer unerläßlich bleiben, sich mit Frankreich abzustimmen – und Frankreich öffentlich den Vortritt zu lassen.

Prioritäten der deutschen Außenpolitik

«Ohne Frankreich ist alles nichts», hat Herbert Wehner einmal gesagt. Er war nicht der erste deutsche Politiker, der dies erkannt hat. 1925 brachte Reichsaußenminister Gustav Stresemann gemeinsam mit Aristide Briand den Locarno-Pakt zwischen Deutschland und Frankreich (und anderen Staaten) zustande; ein Jahr später erhielten die beiden Staatsmänner dafür den Friedensnobelpreis. Zehn Jahre später hat Hitler den Vertrag durch Einmarsch ins entmilitarisierte Rheinland gebrochen.

Ein Vierteljahrhundert nach Locarno kam die Initiative Robert Schumans, die Adenauer sogleich ergriff; Adenauer hatte schon in den zwanziger Jahren verstanden, daß die deutsch-französische Verständigung unser vorrangiges Interesse ist. Bei den Sozialdemokraten ragten Carlo Schmid und Fritz Erler als Fürsprecher und Anwälte der deutsch-französischen Zusammenarbeit hervor. 1963 kam dann unter de Gaulle der Elysée-Vertrag über die deutsch-französische Zusammenarbeit zustande. Zwar hat Charles de Gaulle der EG und auch der NATO viele Schwierigkeiten bereitet, aber die Zusammenarbeit zwischen Frankreich und Deutschland hatte Bestand.

Und sie wurde enger, besonders während der sieben Jahre, in denen Valéry Giscard d'Estaing französischer Staatspräsident und ich deutscher Bundeskanzler war. In dieser Zeit konnten wir gemeinsam eine Reihe weltpolitischer und europapolitischer Initiativen ins Werk setzen: die Weltwirtschaftsgipfeltreffen, den Europäischen Rat, das Europäische Währungssystem, die direkten Volkswahlen zum Straßburger Parlament oder den NATO-Doppelbeschluß. Giscard hat unsere Zusammenarbeit – aus der auch eine enge persönliche Freundschaft erwuchs – unsere «belle entente» genannt; ich war über dieses Wort sehr gerührt.

Mitterrand und Kohl haben die Zusammenarbeit fortgesetzt. Allerdings hat es zwischen ihnen 1989 und 1990 schwere Irritationen gegeben. Am Ende haben sie sich wieder daran erinnert: Die deutsch-französische Zusammenarbeit liegt im Interesse beider Nationen. Sie liegt auch im Interesse der Europäischen Union. Auch wenn andere Regierungen bisweilen ungehalten waren über die von ihnen so genannte Achse Paris–Bonn, so waren sie doch im Grunde glücklich darüber, auch deshalb, weil sie der EG Führung gegeben hat. Daß es in jüngster Zeit über die deutsche Zins- und Währungspolitik, auch über die GATT-Verhandlungen mit den USA zu Verstimmungen kam und daß Paris und Bonn 1993 unfähig waren, sich über die Anwendung der Regeln des Europäischen Währungssystems zu

einigen, und darüber das gemeinsam geschaffene EWS zugrunde gehen ließen, gereicht keiner der beiden Regierungen zur Ehre, im Gegenteil.

Auf beiden Seiten muß man wissen: Die deutsch-französische Zusammenarbeit ist eine kostbare, pfleglich zu be-
handelnde Errungenschaft. Ginge sie verloren, könnte
Frankreich sein Vertrauen in die Stetigkeit der deutschen
Politik verlieren und Deutschland der Verführung zu einem
«deutschen Sonderweg» anheimfallen. Die enge Koopera-
tion zwischen Franzosen und Deutschen muß deshalb auch
für die Zukunft in unserer Außenpolitik Vorrang haben vor
anderen Zielen, Aufgaben und Projekten.

Dabei können persönliche Bindungen zwischen deutschen
und französischen Politikern eine große Rolle spielen; die
jeweiligen parteipolitischen Orientierungen sind in diesem
Zusammenhang unerheblich. Und wenn – das sage ich aus
eigener Erfahrung – Interessengegensätze zwischen Paris
und Berlin (wie lange noch Bonn?) auszugleichen sind, dann
können persönliches Vertrauen oder gar persönliche
Freundschaft eine geradezu unschätzbare Rolle spielen. Dabei sind symbolische Umarmungen über den Gräbern der
beiden Weltkriege nur von sehr begrenztem Wert. Entscheidend ist die erarbeitete Übereinstimmung in der Zielsetzung und in der praktischen Verwirklichung.

Die Regierenden und die politische Klasse in Deutschland
und Frankreich sollten sich so gut kennen, daß aus ihrem
Gespräch über die Tagespolitik hinaus gemeinsame Zielsetzungen erwachsen – und nicht aus den Verhandlungen der
Bürokraten. Ich will dafür zwei Beispiele nennen.

Die Aufhebung von Paßkontrollen und die Freizügigkeit

an den Grenzen innerhalb der EU sind wenig sinnvoll, solange das eine Mitgliedsland in hohem Maße Asylbewerber, Kriegsflüchtlinge, Aussiedler oder Einwanderer aufnimmt, das andere Mitgliedsland sich dagegen äußerst restriktiv verhält und ein drittes Mitgliedsland den Zutritt nur Angehörigen ganz bestimmter, ausgewählter Nationalitäten erlaubt. Dies ist der gegenwärtige Zustand. Deshalb läßt sich voraussehen, daß bei weiterhin anhaltendem Zustrom von Ausländern nach Deutschland unsere Nachbarn wieder Paßzwang und Paßkontrolle einführen werden und daß daraus Konflikte entstehen. *Wir brauchen deshalb innerhalb der EU ein gemeinsames Recht für Asylgewährung und für Einwanderung.*

Es wäre gut, wenn die Deutschen bei dieser Gelegenheit das in den westeuropäischen Staaten geltende Prinzip einführen würden: Wer hier geboren ist, ist automatisch deutscher Staatsbürger – mit allen Rechten und Pflichten (ius soli, Recht des Geburtslandes). Dagegen ist – wie bereits ausgeführt – unser bisheriges, im Grundgesetz, Artikel 116, enthaltenes ius sanguinis (Abstammungsrecht) ein der westlichen Rechtskultur widersprechendes Recht der Blutsgemeinschaft. Ihm liegt ein «völkisches Verständnis von Nation» (Heinrich August Winkler) zugrunde. Es wird Zeit, daß wir damit aufräumen, zumal ein Teil der Ausländerfeindlichkeit bei uns auf dieser Vorstellung von «Volkszugehörigkeit» beruht, die dem deutschen Nationalismus des vorigen Jahrhunderts entstammt und von den Nazis bis zum Exzeß getrieben wurde.

Das zweite Beispiel hängt mit dem ersten zusammen, greift jedoch weiter. Ich meine die Notwendigkeit der Toleranz gegenüber Religionen, die in Europa nicht heimisch sind, denen wir aber immer häufiger begegnen. So wird die Zahl der Muslime auf der Welt die Zahl der Christen in absehbarer Zeit übertreffen, im allgemeinen sind die ersteren stärker in ihrem Glauben verwurzelt als die letzteren. Die christlichen Kreuzzüge des Mittelalters – «zur Befreiung des Heiligen Landes» – waren Kriege gegen Muslime, der Krieg der Serben und Kroaten gegen die bosnischen Muslime ist im Prinzip nichts anderes.

Mit wenigen Ausnahmen wissen wir Europäer fast nichts vom Islam, wir verstehen ihn kaum. Wohl aber erfahren wir durch die Medien immer wieder von Auswüchsen des islamischen Fundamentalismus und schließen von diesem Phänomen, das es ähnlich in allen Religionen gibt, auf den ganzen Islam – eine völlig unzulässige Generalisierung. So wächst die Gefahr, daß – nach dem Fortfall des sowjetischen Imperialismus – der Westen sich ein neues, antiislamisches Feindbild schafft. Dies wiederum würde auf seiten islamischer Völker Gegenreaktionen auslösen.

Eine breit und auf lange Sicht angelegte Initiative zum Dialog und zur gegenseitigen Aufklärung könnte diese ebenso gefährliche wie unerfreuliche Entwicklung aufhalten. Es wäre fatal, wenn sich Europa damit abfinden wollte, daß, wie der Amerikaner Samuel Huntington kürzlich formulierte, «der Brennpunkt zukünftiger Konflikte zwischen dem Westen und mehreren islamisch-konfuzianischen Staaten zu finden sein» werde. Jedoch werden wir auch in Zukunft verlangen müssen, daß *alle* bei uns lebenden Ausländer die Gesetze ihrer europäischen Gastländer als verbindlich anerkennen.

Wegen ihrer vielfältigen, noch aus Kolonialzeiten stammenden Erfahrung im Umgang mit den Muslimen im Norden Afrikas ist den Franzosen das Problem etwas deutlicher als uns. Wenn der Anstoß zu der von mir skizzierten Aufklärungsinitiative aus Frankreich käme, wäre dies auf längere Sicht ein Gewinn für uns alle.

Diese beiden Beispiele für eine gemeinsame deutsch-französische Arbeit an der Zukunft Europas ließen sich leicht vermehren; einige gemeinsame Arbeitsfelder drängen sich geradezu auf. Dazu gehört die Wiederherstellung geordneter Währungsverhältnisse gegenüber dem amerikanischen Dollar und dem japanischen Yen, die Anfang der siebziger Jahre verlorengegangen sind; oder die Herstellung einer international kooperierenden Aufsicht über die seit den achtziger Jahren gefährlich sich ausbreitende Spekulation auf den miteinander verzahnten Finanzmärkten der Welt. Dazu könnte auch das weitgreifende Projekt des Entwurfs einer Weltethik gehören, im Sinne von Hans Küng. Aber auch enger begrenzte Projekte deutsch-französischer Zusammenarbeit sind denkbar, wie etwa die Errichtung einer gemeinsamen Elite-Universität oder der Austausch von Erfahrungen bei der Bewältigung – oder besser Nichtbewältigung – der Probleme der Massen-Universität.

Auf alle Fälle kann das gegenseitige Verständnis zwischen Franzosen und Deutschen nur dann wachsen, wenn wir gemeinsam etwas tun!

Die nordatlantische Allianz bleibt auf absehbare Zeit das Rückgrat unserer äußeren Sicherheit. Die USA und ihr Engagement in Europa bleiben das Rückgrat der Allianz und der NATO. Nächst unserer Zusammenarbeit mit Frankreich ist deshalb ein gutes Verhältnis zu Amerika für uns von kardinaler Bedeutung. Es zu pflegen verlangt bisweilen viel

Einfühlungsvermögen, besonders bei einem Präsidenten-
wechsel in Washington und bei amerikanisch-französischen
Interessenkonflikten.

Für alle unsere Nachbarn und Partner aber ist deutsche
Stetigkeit und Berechenbarkeit von überragender Bedeutung. Über alle Regierungswechsel hinweg muß dies von
uns sorgfältig beachtet werden. Ich habe es deshalb zum Beispiel immer für selbstverständlich gehalten, daß die F.D.P.
aktiv an der Politik der europäischen Integration mitgewirkt
hat, entgegen ihrer ursprünglichen Ablehnung der Römi-
schen Verträge 1957. Ähnliches gilt für die Sozialdemokratie und ihre ursprüngliche Ablehnung des deutschen
NATO-Beitritts oder für die CDU/CSU und ihre ursprüngliche Ablehnung des Atomwaffen-Sperrvertrages, der
KSZE-Schlußakte von Helsinki und unserer Verträge mit
Moskau, Warschau und Ostberlin.

Kanzler Kohl hat der Deutschlandpolitik seiner Vorgänger durch einen großen Bahnhof für Honecker sogar noch
ein überflüssiges Glanzlicht aufgesetzt. Das ganze Drum
und Dran, als ob ein befreundeter Präsident zu Besuch
käme, mußte so nicht sein; auch nicht Strauß' Milliarden-
kredit für die DDR ohne meßbare und erkennbare Gegenlei-
stung. Das ist heute längst Vergangenheit.

Noch tiefer in der Vergangenheit liegen die Anlässe, die
jetzt von der Regierungskoalition hervorgeholt und zur
Herabsetzung von SPD-Politikern zurechtgestutzt und auf-
geputzt werden. Die CDU/CSU sollte sich statt dessen auch
heute zur Kontinuität der deutschen Ostpolitik bekennen,
sie hat keinen Grund, sich ihrer Fortsetzung der sozialibe-
ralen Ostpolitik zu schämen. Sie sollte – auch vor unseren
Nachbarn und Partnern – nicht so tun, als ob Adenauer und

Kohl die Sowjetunion zum Einsturz gebracht hätten. Es waren die sozialdemokratischen Vorgänger des heutigen Kanzlers, die mit Zähigkeit und mit Erfolg darum gekämpft haben, daß in Helsinki – entgegen den Wünschen der Sowjetunion – im Korb III die Menschenrechte verankert werden konnten. Die CDU/CSU hat keinen Grund, unsere Politik – des Superwahljahres 1994 wegen – herabzusetzen. Sie sollte eher mit Gelassenheit darauf hinweisen, daß der NATO-Doppelbeschluß, den die sozialliberale Regierung 1979 herbeigeführt hat, vier Jahre später im Einklang mit den Verpflichtungen, welche die Bundesrepublik gegenüber den NATO-Partnern übernommen hatte, von der Regierung Kohl ausgeführt wurde – ein entscheidender Beitrag zum außenpolitischen Umschwung in Moskau. Außenpolitische Stetigkeit ist vonnöten, auch im Wahljahr!

Wenn unsere guten Beziehungen zu den USA, unsere NATO- und unsere Europapolitik außerhalb des parteipolitischen Streites bleiben, wie dies bisher der Fall war, so werden damit vorrangige deutsche Interessen gewahrt. Wenn wir, die Wählerinnen und Wähler, einer der beiden großen Volksparteien unsere Stimme geben, brauchen wir uns um die Kontinuität der deutschen Außenpolitik keine Sorgen zu machen. Aber wir müssen sehr genau hinhören, was die kleineren Flügelparteien zu den Prioritäten der deutschen Außenpolitik zu sagen haben. Wer die Stetigkeit unserer Außenpolitik nicht achten will, der ist nicht regierungsfähig.

Wir sollten auch – bei *allen* Parteien – sorgfältig hinhören, wenn sie über Polen und Rußland sprechen. Polens Schicksal ist auch unser Schicksal: Wenn es Polen schlechtgehen sollte, würde es danach auch uns schlechtgehen. Es ist

daher unser eigenes Interesse, in der EU dafür zu sorgen,
daß unser wichtiger, großer Nachbar Polen anständig und
fair behandelt wird; daß seiner Wirtschaft nicht weiterhin
protektionistische Schranken entgegengesetzt werden; daß
ihm der Weg zur Mitgliedschaft in der EU freigeräumt und
offengehalten wird – bis zu dem Zeitpunkt, den Warschau
für geeignet hält. Auf der Straße zu guter deutsch-polni-
scher Nachbarschaft liegen große Steinblöcke aus der jüngeren Geschichte. Willy Brandt hat den ersten Stein bewegt,
sein Nachfolger hat zusammen mit Edward Gierek einiges
Geröll aus dem Wege geschafft. Beide Nationen haben dies
zunächst mit Erstaunen und dann mit wachsender Sympathie begleitet. Aber vieles bleibt noch zu tun. Es ist bei unseren Nachbarn auch nicht vergessen, daß Kohl mit der Anerkennung der Oder-Neiße-Grenze bis zur letzten Minute
gezögert hat. Auch gegenüber Polen ist Stetigkeit dringend
geboten.

Es bedarf keiner Erwähnung, daß ähnliches auch gegenüber der Tschechischen Republik, gegenüber Ungarn und
der Slowakei gilt. Wohl aber sei hier die Warnung wiederholt, daß unsere Rußlandpolitik für die Polen immer durch-
sichtig sein muß; es darf nie so weit kommen, daß sie
befürchten könnten, Deutschland und Rußland würden gemeinsam polnische Interessen verletzen.

Unsere zukünftige Rußlandpolitik, unsere Politik gegenüber der Ukraine und gegenüber allen anderen Nachfolgestaaten der Sowjetunion hängt weitgehend von deren
innerer Entwicklung ab und von der Entwicklung ihrer Beziehungen untereinander. Es ist offensichtlich, daß die
Weltmacht Rußland – und es *bleibt* eine Weltmacht, zumindest der geographischen Ausdehnung und der militärischen

Stärke nach – die Formel «nahes Ausland» für alle anderen als Signal gemeint hat. Dahinter steckt die Absicht, das Territorium des zaristischen Rußland, das Lenin bei seinem Machtantritt vorgefunden hat, soweit wie möglich wiederherzustellen. Daraus werden Konflikte und Leiden entstehen.

Wir dürfen in Moskau keinesfalls den Eindruck aufkommen lassen, daß wir es hinnehmen würden, wenn der Kreml seinen Einflußbereich zu Lasten der kleineren Nachfolgestaaten wieder auszudehnen versuchte. Deshalb muß unsere Rußlandpolitik «auf Sicht gefahren» werden – einerseits mit Vorsicht, andererseits mit dem Respekt, welcher einer Weltmacht gebührt. Gute wirtschaftliche Beziehungen, wissenschaftlicher und technologischer Austausch, Zusammenarbeit in der Abrüstungs- und Rüstungskontrollpolitik, all das zu entwickeln ist für beide Seiten nützlich, und es ist normal.

Ein guter Deutscher sein – was heißt das?

Die Leitlinie unserer auswärtigen Politik – ob auf unserem Kontinent oder gegenüber Amerika – darf nicht das Streben nach Vorteil oder Prestige, nach politischer Macht oder europäischer Führung sein, sondern oberster Grundsatz ist die stetige Anstrengung, ein guter Nachbar, ein verläßlicher Nachbar und ein zuverlässiger Partner zu sein. Dies bleibt auch in Zukunft eine schwierige Aufgabe. Denn unsere Mittellage birgt auch in Zukunft zahlreiche Konfliktmöglichkeiten. Gegen uns gerichtete Koalitionen niemals herauszu-

fordern bleibt deshalb eine kardinale Aufgabe deutscher
Außenpolitik. Aber wir brauchen nicht gleich in Sack und
Asche zu gehen. So werden wir auch weiterhin selbstbe-
wußt unseren wirtschaftlichen Vorteil suchen. Er kann uns
freilich nicht von der Außenpolitik verschafft, sondern er
muß wirtschaftlich erarbeitet werden. Wir werden darin um
so erfolgreicher sein, je mehr sich die Europäische Union
entfaltet und je mehr wir uns auf die Gemeinschaft stützen
können.

Wer unsere Nachbarn in Europa befragt, wird viele treffen, die uns bescheinigen, die Deutschen seien in der Tat
verläßlich geworden. Aber er wird auch vieles hören, was
von bösen Erinnerungen an die erste Hälfte dieses Jahrhunderts geprägt ist – dies müssen wir ertragen. Und er wird
Nachbarn treffen, die sich – nachdem wir der größte, volk-
reichste Staat in Europa nach Rußland geworden sind – un-
sicher fühlen in Hinblick auf unsere künftige Politik und die
ein leises oder auch ein deutliches Mißtrauen anklingen lassen.

Diese letzteren zu überzeugen und ihr Vertrauen zu gewinnen ist nicht nur Aufgabe der praktischen Politik, unserer Regierungen und unserer Parlamentarier. Sondern wir,
die Wählerinnen und Wähler, können zur Lösung dieser
Aufgabe einen gewaltigen Beitrag leisten: *Indem wir Parteien und Kandidaten wählen, die für Stetigkeit und Verläß-
lichkeit der deutschen Politik eintreten, schaffen wir bei unseren Nachbarn Vertrauen gegenüber Deutschland.* Wer
die Schönhubers und andere Rechtsextremisten wählt oder
die Gysis und andere Linksextremisten, der beschädigt damit das Vertrauen der Nachbarn in Deutschlands Zukunft.

V

Deutschland braucht
eine frische Regierung

Die Mißstimmung im Lande ist weitestgehend eine
Folge des unzureichenden Handelns, der unzureichenden
Tatkraft der gegenwärtigen Regierung. Sie hat nach dem
großen Triumph der Zusammenführung aller Deutschen in
einem vereinigten demokratischen Nationalstaat zunächst
Illusionen angehangen und ihre voreiligen Schönwetter-
vorhersagen im ganzen Lande verbreitet. Gleichzeitig hat
sie durch kardinale Fehler bei der wirtschaftlichen Vereinigung dazu beigetragen, daß die Lage und das Klima sich
schnell verschlechtert haben. Als dies offenbar wurde, hatte
sie keine Kraft zum entschlossenen Handeln. Statt dessen
hat sie sich in tagespolitischer Taktik verzettelt. Deshalb
mögen wir sie nicht mehr.

Wir müssen jedoch genau hinsehen, wenn wir ein unge-
rechtes Pauschalurteil vermeiden wollen. In der Europapolitik und in der Außenpolitik sind dieser Regierung kaum
mehr Fehler oder Versäumnisse vorzuhalten, als sie gleichzeitig auch den anderen europäischen Regierungen vorzu-
werfen wären (oder als frühere Regierungen in Bonn sie begangen haben). Vielmehr gehen außenpolitische Gefährdungen mehr von den extrem rechten Gruppierungen und

Parteien aus, die einen abermaligen deutschen Nationalismus predigen. Die Gewalttaten gegen Ausländer und der dumpfe Haß auf sie verletzen nicht nur unseren inneren Frieden, sondern sie gefährden auch in empfindlicher Weise unser Ansehen im Ausland, das Vertrauen der Welt in die Vernunft und die Berechenbarkeit der Deutschen.

Dennoch: daß Ausschreitungen und Verbrechen gegen Ausländer so rapide sich ausbreiten konnten, geht zum großen Teil auf das Minuskonto der Bundesregierung. Sie hat zunächst einen in Europa ganz ungewöhnlich breiten Zustrom von Ausländern zugelassen und sodann daraus ein verfassungsrechtliches Problem gemacht, ohne dessen Lösung sie angeblich nicht handeln konnte. Von den Lichterketten unzähliger Bürger ging eine weitaus stärkere Wirkung aus als vom Bundeskanzler und seiner Regierung.

Die gesamte Innenpolitik ist vernachlässigt. In vielen Bereichen haben sich Versäumnisse, Fäulnis, Mißtrauen und Feindschaften entwickelt, die wir in diesem Maße früher nicht gekannt haben. Nach der Hochstimmung in den Tagen der Vereinigung haben sich auf beiden Seiten des einstigen Todesstreifens Verdächtigungen entfalten können, die niemandem nützen, sondern uns allen schaden; der denunziatorische Umgang mit Akten aus der alten DDR trägt täglich dazu bei. Drogenhandel und Gewaltkriminalität nehmen allenthalben zu, und auch der Terrorismus scheint wieder aufzuleben. Zugleich wachsen unsere durch den Fernsehkonsum ausgelösten Probleme und die Hochschulprobleme. Die innenpolitische Bilanz der letzten vier Jahre seit der Vereinigung ist insgesamt unzureichend und unerfreulich.

Noch schlechter jedoch sieht die ökonomische, die beschäftigungspolitische, finanzwirtschaftliche und sozialpolitische Bilanz aus. Die wahre Arbeitslosigkeit – nicht die auf vielerlei Weise geschönte, weil große Teile verdeckende offizielle Arbeitslosigkeit – hat heute mit fast sechs Millionen Erwerbspersonen ohne Arbeit ein Ausmaß erreicht, wie es nur die Alten aus den Endjahren der Weimarer Republik erinnern. Es nützt den Arbeitslosen nichts, wenn die Regierung ihnen heute versichert, wir hätten die «Talsohle der Konjunktur» erreicht, danach werde es aufwärtsgehen; 1994 jedenfalls wird die Arbeitslosigkeit noch weiter steigen.

Wenn man die außen- und innenpolitische und die ökonomische Bilanz der Regierung, wie ich sie in den vorangegangenen Kapiteln geschildert und analysiert habe, zusammenfaßt, ergibt sich leider ein ziemlich graues Gesamtbild mit einigen wenigen lichten Stellen, aber vielen schwarzen Flächen. Die Stimmung in Deutschland entspricht diesem Bild. Sie wird noch zusätzlich verdüstert durch die Denunziations-, Anklage- und auch Schmutzfeldzüge, die im Vorfeld des Superwahljahres 1994 in Gang gesetzt worden sind, nicht ohne eifernde Beteiligung der Medien.

An uns selbst, die wir vor diesem Gesamtbild stehen, richtet sich die Frage: Was geschieht, wenn wir diesem Bild einfach den Rücken zukehren? Wenn wir uns von der Politik abwenden? Wenn wir die Politik allein den Politikern überlassen, obschon sie uns enttäuscht haben? Wenn wir uns – noch schlimmer – aus Enttäuschung und Zorn unserer miesen Stimmung hingeben und Protestparteien wählen, linke oder rechte Extremisten?

Es ist ja leider wahr: Von der heutigen Regierung geht keine Führung aus, weder ökonomische noch politische Führung, weder geistige noch moralische. Aber können wir es uns leisten, die Fehler unserer Großeltern zu wiederholen? Enttäuschung, Verdrossenheit und Bitterkeit haben unsere Vorfahren dazu verführt, sich von der ersten deutschen Demokratie, von der Weimarer Republik, abzuwenden und denen ihre Stimme zu geben, die einen ganz anderen Staat, eine ganz andere Wirtschaft herzustellen versprachen, den utopistischen Kommunisten und den nationalistisch-größenwahnsinnigen Nazis. Jeder von uns weiß, wie die menschenverachtenden Experimente der Nazis und der Kommunisten ausgegangen sind, die doch den Menschen eine bessere Zukunft versprochen hatten.

Jeder weiß, daß unsere Demokratie in mannigfacher Weise mit Fehlern und mit Defiziten behaftet ist. Auch heute gibt es Kräfte in unserem Land, die uns versprechen, mit radikalen Methoden eine bessere Zukunft zu schaffen. Wer ihnen auch nur einen Teil des politischen Feldes einräumt, macht sich mitschuldig.

Wir dürfen Weimar nicht wiederholen

Weimar – der Name dieser freundlichen, kleinen thüringischen Stadt steht symbolisch für zwei wichtige Zeitabschnitte der deutschen Entwicklung. Weimar war einmal eine der Hauptstädte der Aufklärung in Deutschland, zur Zeit von Wieland, Herder, Schiller und Goethe. Weimar war zum anderen der Ort, an dem 1919 die deutsche Nationalversammlung jene Verfassung erarbeitet hat, die bis zum Machtantritt Hitlers die rechtliche und organisatorische Grundlage des Deutschen Reiches, das heißt der ersten deutschen Demokratie, gewesen ist. Danach haben die Nazis vor den Toren Weimars das Konzentrationslager Buchenwald

errichtet. Dergestalt ist Weimar zugleich Symbol der Aufklärung in Deutschland wie auch ihres traurigen Versagens.
Wir sind uns dieser Tragik meist nicht bewußt, wenn wir
von Weimar sprechen und damit gemeinhin die Epoche der
ersten Republik meinen, die gerade ein Dutzend Jahre um-
faßte.

Der erste demokratische Nationalstaat der deutschen Geschichte war von Anfang an mit schweren Hypotheken bela-
stet. Er entstand unmittelbar aus dem Zusammenbruch des
Kaiserreiches, unmittelbar nach dem verlorenen Weltkrieg,
unter dem Druck der Sieger, entweder das Versailler Frie-
densdiktat (einschließlich der alleinigen Zuweisung der
Kriegsschuld an Deutschland) zu akzeptieren oder den Einmarsch alliierter Truppen in Kauf zu nehmen. Die äußeren
Umstände, unter denen sich die Geburt der ersten Demokratie vollzog, waren insgesamt also höchst ungünstig.

Die Voraussetzungen im Innern waren auch nicht günsti-
ger. Denn die Deutschen waren auf eine parlamentarische
Regierungsform nicht vorbereitet, sie waren seit ewigen
Zeiten Regiment von oben gewohnt. Die Mehrzahl war auf
Gehorsam gegenüber der Obrigkeit eingestellt; Armee,
Schule, Universität und Kirche hatten sie in diesem Geiste
erzogen, lediglich die Sozialdemokraten standen in Opposi-
tion zum Obrigkeitsstaat. Eine Revolution zur Befreiung
der Bürger von dieser Gängelung hatte es – anders als in
Frankreich, England oder Amerika – nie gegeben. «Das Ab-
stoßende und ‹Undeutsche› an der Weimarer Republik, am
Parlamentarismus und Parteiensystem war ja, daß man zur
Eigenverantwortung im Ernst gezwungen sein sollte»
(Christian Graf Krockow). Viele blickten mit Verachtung
auf die Demokratie; viele hingen mit Herzblut oder aus Sen-

timentalität am untergegangenen Kaiserreich. Ich selbst
habe Mitte der zwanziger Jahre in der Schule noch eine
Sedan-Feier erlebt, in der man sich, mehr als ein halbes Jahrhundert nach der Schlacht, am Sieg über die Franzosen er-
bauen sollte, die doch inzwischen uns besiegt hatten.

Die im Kern demokratischen Parteien hatten in der Weimarer Zeit nie eine große Mehrheit, 1930 ging diese Mehrheit endgültig verloren. Regierungsfähig im Sinne einer
verantwortungsbewußten Gesamtpolitik – im Gegensatz zu
einer auf Interessen beschränkten Teilpolitik – waren in den
Weimarer Jahren lediglich die Sozialdemokraten, die Demokratische Partei und das katholisch bestimmte Zentrum.
Deren Koalition hätte vielleicht länger bestehen können,
wenn nicht 1929 die große Wirtschaftsdepression mit ihrer
Massenarbeitslosigkeit eingesetzt hätte, bei materiell unzu-
reichender Sozialfürsorge. Und wenn nicht die Weimarer
Koalitionsparteien zur Konjunkturpolitik, zu einer umfassenden ökonomischen Politik schlechthin, unfähig gewesen
wären.

In diesem letzten Punkt, nämlich *Massenarbeitslosigkeit
bei gleichzeitigem ökonomischen Unvermögen der Regierenden*, liegt die *wichtigste Parallele zwischen Weimar und
heute*. Es kommen einige andere Parallelen hinzu: Ängste,
Schwarzseherei, Rechthaberei, die Neigung, an neue Kon-
zepte von Politik zu glauben, auch die Erwartung, von der
bisherigen Politik erlöst zu werden. In bedenklicher Weise
geht seit der Vereinigung das Engagement für die Demokratie zurück, «die Demokratie geht rückwärts» (Elisabeth
Noelle-Neumann).

Freilich sind die äußeren Umstände heute unvergleichlich
besser als jemals während der Weimarer Epoche. Man muß

schon Hypochonder oder Hysteriker sein, um sich heute
von äußeren Gegnern umstellt zu fühlen. Tatsächlich hat
Deutschlands Einbettung in die Europäische Union und in
die NATO sehr wohltuend und beruhigend auf die Seele vieler Deutscher gewirkt. Zwar hat die Neigung zu apokalypti-
schen Zukunftsbildern noch in den späten siebziger und in
den frühen achtziger Jahren Hunderttausende in dem Wahn
demonstrieren lassen, die eigene Regierung gefährde den
Frieden; aber dieser Wahn ist verflogen. Im vierten Jahr der
Vereinigung ist die große Mehrheit der Deutschen außenpolitisch zufriedengestellt. Außenpolitisch und europa-
politisch fällt jeder Vergleich mit der Weimarer Republik
eindeutig zugunsten der vereinigten Bundesrepublik
Deutschland aus.

Massenarbeitslosigkeit, verbunden mit der Unzuläng-
lichkeit der Regierenden und der politischen Klasse insgesamt, könnte jedoch zur Gefahr werden, wenn wir, die
Wählerinnen und Wähler, uns unserer Verdrossenheit hin-
gäben, statt realistisch unsere Möglichkeiten zu erkennen
und zu ergreifen. Wir wissen doch: Demokratie und offene
Gesellschaft schaffen kein Paradies auf Erden, sie sind nur
die am wenigsten gefährlichen Formen staatlicher Organisation. Wir wissen doch: Sie sind mit Mängeln behaftet,
nicht nur in Deutschland, sondern überall. Wir wissen aber
auch: Mängel kann man abstellen. Wir wissen auch: Demokratie ist immer ein Wagnis. Also bitte: Wagen wir es doch,
wenigstens einen Teil der Mängel abzustellen, indem wir die
Regierenden in Bonn auswechseln.

Wir haben keine neuen Theorien und Utopien nötig. Sondern wir brauchen Tapferkeit, um die unvermeidlichen Kröten zu schlucken, wir brauchen die demokratischen Tugen-

den. Praktische Vernunft ist gefragt, Augenmaß, klare politische Kritik. Wir brauchen Solidarität mit uns selbst und mit unserem Gemeinwesen. Denn wir wollen auf keinen Fall, daß unsere Demokratie Schaden nimmt – wie damals der erste deutsche Demokratieversuch. Wir haben doch von Weimar gelernt!

Ein Kaleidoskop der Koalitionsmöglichkeiten

Nachdem ich 1982 aus dem Amt geschieden war, habe ich ein Jahrzehnt lang mit Kritik an meinem Nachfolger bewußt zurückgehalten; Adenauers unangenehme Bemerkungen über seinen Nachfolger Erhard hatte ich noch deutlich in Erinnerung. Seit der Vereinigung der Deutschen hat mich jedoch zunehmende Besorgnis erfaßt. Noch vor Jahresfrist habe ich geschrieben, nicht die Parteizugehörigkeit des Kanzlers sei wichtig, entscheidend sei vielmehr, ob des Kanzlers Richtlinien klug und zielstrebig sind und ob er sie in die Wirklichkeit übertragen kann. *Heute muß ich deutlicher werden: Helmut Kohl ist immer noch ein sehr robuster, auch ein sehr rücksichtsloser Wahlkämpfer. Seine «Richtlinien der Politik», die er qua Grundgesetz bestimmen muß, sind jedoch unklar und schwammig geworden. Es bleibt bei Worten, die Taten bleiben aus.*

Wer sich für Berlin entscheidet, gleichzeitig aber in Bonn weiterhin lustig bauen läßt und keinen einzigen seiner Minister zum Umzug in die neue, alte Hauptstadt zwingt, der illustriert schon mit diesem einzigen Beispiel den Kontrast zwischen Wort und Tat. Wenn Helmut Kohl 1994 noch ein viertes Mal zum Kanzler gewählt werden sollte, würde diese

Wahl bis 1998 gelten. Dies wären dann seit 1982 insgesamt sechzehn Jahre, weit länger als Adenauers Amtszeit – und die war auch viel zu lang.

Die CDU/CSU ist schon heute ausgelaugt; keine politische Partei ist für eine ewige Regierungszeit konstruiert. Man darf auch der Nation ein solches Machtmonopol nicht zumuten. Inzwischen wissen es auch viele Anhänger der gegenwärtigen Regierungsparteien in Bonn: *Es ist hohe Zeit für einen Wechsel.*

Die brennende Frage ist: Wie können wir den Wechsel herbeiführen? Die Meinungsumfragen der letzten Monate liefern ein recht diffuses Bild, Scharping und die SPD liegen in Führung, aber nicht mit einer absoluten Mehrheit. Die Prozentzahlen der SPD aufgrund der demoskopischen Sonntagsfrage («Wenn nächsten Sonntag gewählt würde...») liegen deutlich unter ihren Stimmergebnissen bei den drei Bundestagswahlen während der dreizehn Jahre der sozialliberalen Koalition. Wenn nächsten Sonntag gewählt würde, gäbe es eine ganze Reihe möglicher Wahlergebnisse – und entsprechender Koalitionsmöglichkeiten.

Heute, im März 1994, verlöre Kohls Regierungskoalition aus CDU/CSU und F.D.P. ihre Mehrheit. Aber auch die anderen Koalitionsmöglichkeiten, nämlich die von Scharping und der SPD zu führenden Koalitionen, hingen mit ihren denkbaren Mehrheiten sehr davon ab, ob die Republikaner, die PDS und darüber hinaus möglicherweise noch andere Splitterparteien Mandate erringen oder nicht.

Wenn beide extremen Randparteien in den Bundestag gelangten, wäre am nächsten Sonntag die Gesamtzahl der Bundestagsmandate für eine Koalition aus SPD und F.D.P. – also für eine Wiederherstellung der ehemaligen soziallieberalen Koalition – nicht ausreichend; denn die «Kanzler-Mehrheit» von mindestens 329 Mandaten käme nicht zustande. Auch eine Koalition der SPD mit Bündnis 90/Grüne käme nicht auf eine für die Kanzlerwahl ausreichende Mandatszahl.

Man kann sich dies leicht an einem Rechenbeispiel klarmachen. Aufgrund einer der vielen Meinungsumfragen im Frühjahr 1994 sind folgende Stimmenprozente und Abgeordnetenmandate am nächsten Sonntag denkbar:

	Stimmenanteil	Abgeordnetenmandate
SPD	38 %	256
CDU/CSU	33 %	222
B'90/Grüne	9 %	60
F.D.P.	8,5 %	57
Republikaner	5 %	34
PDS	4 %	27*
Sonstige	2,5 %	0
	100 %	656

Bei diesem herausgegriffenen Umfragebeispiel würden die Sozialdemokraten am nächsten Sonntag zwar mit den meisten Abgeordneten eindeutig die stärkste Partei. Wenn jedoch gleichzeitig Republikaner und PDS Mandate erringen, würden dadurch die Mandatszahlen aller anderen Parteien entsprechend kleiner werden. Infolgedessen müßte die SPD

---

* Unter der Annahme, daß wegen drei errungener Direktmandate die Fünfprozentklausel für die PDS nicht wirksam wird.

entweder eine «Ampelkoalition» eingehen und sowohl die
F.D.P. als auch die Grünen als zwei Juniorpartner in ihre
Regierung mitnehmen – oder es gäbe eine «große Koalition»
mit der SPD als Senior und der CDU/CSU als Junior. Aber
auch die CDU/CSU könnte eine Regenbogenkoalition mit
F.D.P. und Grünen bilden und so regieren. Also: entweder
große Koalition oder höchst zerbrechliche Mehrparteien-
koalitionen.

Das sind keine sehr erbaulichen Aussichten. Sie gelten
zum Glück nur für einen Sonntag im März 1994; bis zum
Wahlsonntag im Oktober kann sich noch vieles ändern. Es
liegt im dringenden Interesse unseres Volkes, daß sich noch
vieles ändert. Denn das für den Monat März skizzierte theo-
retische Wahlergebnis wäre politisch ein höchst unklares
Ergebnis: Kein Wähler würde bei seiner Stimmabgabe wissen, welche Regierung er sich wählt. Er würde lediglich
seine eigene politische Richtung zum Ausdruck bringen, die
entscheidende Frage der Regierungsbildung aber voll und
ganz aus der Hand geben.

Denn ob wir nach der Wahl eine SPD-geführte Ampelkoalition oder eine SPD-geführte große Koalition oder eine
CDU-geführte Regenbogenkoalition bekämen, darüber
würden nicht die Wähler, sondern ausschließlich die Berufspolitiker in Bonn entscheiden. Mit anderen Worten: Die
Wahl würde nicht einmal darüber entscheiden, ob abermals
Kohl und die CDU oder statt dessen Scharping und die SPD
die nächste Regierung bilden und führen. Schon die Hamburger Bürgerschaftswahl im Herbst 1993 hat zu einer Koalition geführt, mit der kaum ein Wähler am Wahltag gerechnet hatte.

Ob die möglichen Koalitionsregierungen einigermaßen

stabil wären und vier Jahre halten würden, ob ihnen eine
stetige Politik möglich wäre, auf welche ökonomische Politik und welche Innenpolitik sie sich am Beginn einigen
könnten: Die Antworten auf diese für uns alle wichtigen
Fragen sind dem Wähler entzogen. Der Wähler hätte mit
dem März-Wahlergebnis seinen Einfluß auf die Koalitionsbildung verschenkt. Wir wären möglicherweise auf dem
Wege zu italienischen Verhältnissen, nämlich immer
neuen Regierungskrisen, immer neuen taktischen Kunst-
stücken und doch im Ergebnis immer der gleichen Politik.
Sogar die in Rom ernsthaft erwogene Einbeziehung extremer Randparteien in die Koalitionsbildung könnte uns blü-
hen.

All dies sind für deutsche Verhältnisse und angesichts
der deutschen Krise abstoßende Aussichten. Deshalb ist es
wünschenswert, daß wir uns für eine der beiden Volksparteien entscheiden, aber unsere Stimme keinesfalls einer der
extremen Parteien am linken oder rechten Rand geben;
dies würde bei der Verteilung der Bundestagsmandate eine
Zersplitterung herbeiführen und damit den Taktierern der
politischen Klasse freie Hand geben.

Wenn im Rechenbeispiel weder die Republikaner die Fünfprozentgrenze überwinden noch die PDS drei Direktmandate
erobert, würden 61 Mandate auf die anderen Parteien verteilt
werden. Dies würde zwar der CDU/CSU immer noch nicht
für eine Koalition mit der F.D.P. reichen; sie würde nach wie
vor mit *zwei* anderen Parteien koalieren müssen, um die
Kanzler-Mehrheit zu erwerben. Aber die SPD käme mit
einem Partner aus.

Vom Erscheinen des Buches bis zur Bundestagswahl im
Oktober haben wir Wählerinnen und Wähler noch ein hal-

bes Jahr Zeit, um zu einem klaren Urteil zu kommen – laßt
sie uns nutzen!

Große Koalition – Chancen und Gefahren

SPD und CSU haben die Bildung einer großen Koalition abgelehnt, so auch der Parteivorsitzende der CDU. Wenn
Kanzler Kohl bei der Wahl des Bundespräsidenten im Mai
unbedingt einen CDU-Kandidaten seiner Wahl durchsetzen
will, dann nicht nur, um seine Macht zu demonstrieren,
sondern auch, um die bei einer Wahl von Johannes Rau von
ihm befürchtete Signalwirkung zugunsten einer großen
Koalition zu vermeiden.

F.D.P. und Bündnis 90/Grüne würden bei einer großen
Koalition der beiden Volksparteien, der geringen Gesamtzahl ihrer Mandate wegen, eine praktisch bedeutungslose
Oppositionsrolle spielen. Deshalb sind F.D.P. und Grüne
entschlossen gegen eine große Koalition. Niemand scheint
also eine große Koalition zu wollen. Gleichwohl spielt sie bei
vielen ernst zu nehmenden Kommentatoren in der veröf-
fentlichten Meinung eine große Rolle als eine der sich gegenwärtig abzeichnenden Möglichkeiten für die Jahre 1995
bis 1998.

Wir haben in der alten Bundesrepublik eine dreijährige
Erfahrung mit einer großen Koalition, nämlich von 1966 bis
1969, als Kurt Georg Kiesinger Bundeskanzler und Willy
Brandt Außenminister war. Sie kam zustande, weil CDU/
CSU und F.D.P. sich auseinandergelebt hatten und die Koa-
lition zwischen beiden im Oktober 1966, zwölf Monate nach

der Bundestagswahl 1965, zerbrochen war. Bundeskanzler Erhard hatte die damalige Rezession – im Verhältnis zu heute eine *leichte* Rezession – nicht überwinden können. Der Bruch der Koalition durch die F.D.P. hatte ihm seine Mehrheit genommen, in seiner eigenen Partei hatte sich große Unzufriedenheit über ihn breitgemacht. Dies alles hatte Ende November 1966 zum Rücktritt Erhards geführt und den Weg für eine große Koalition zwischen CDU/CSU und SPD frei gemacht. Aufgrund der Wahl im Jahr zuvor war die CDU/CSU-Fraktion bei weitem stärker als die der SPD. Die erstere hatte fast 48 Prozent der Stimmen erhalten, die SPD etwas über 39 Prozent; deshalb war klar, daß die CDU/CSU den Bundeskanzler stellte, die SPD den Vizekanzler (zugleich Außenminister).

In beiden Parteien war die Bildung der großen Koalition umstritten. Manche Leute der CDU/CSU – zumal auf deren rechtem Flügel – und umgekehrt manche Leute der SPD – zumal auf deren linkem Flügel – konnten und wollten sich eine gemeinsame Regierung mit dem bis gestern eifrig verketzerten innenpolitischen Gegner nicht vorstellen. Die große Mehrheit der CDU/CSU-Fraktion erkannte jedoch, daß schließlich auch eine hauchdünne Mehrheit einer SPD-F.D.P.-Koalition drohen könnte.

Für die große Mehrheit der SPD-Fraktion war es von überragender Bedeutung, zum erstenmal seit Begründung des Staates ihre Regierungsfähigkeit beweisen zu können. Dies ist ihr auch gelungen. Und die Wähler haben dies 1969, bei der nächsten Wahl, dadurch honoriert, daß sie die SPD auf fast 43 Prozent brachten, während die CDU/CSU anderthalb Prozentpunkte verlor, jedoch mit 46 Prozent immer noch stärkste Partei blieb. Die F.D.P. konnte von ihrer

Oppositionsrolle nicht viel profitieren, sie blieb 1969 weit unter ihrem Wahlergebnis von 1965; ihr Koalitionsbruch 1966 hat sich 1969 immer noch stark negativ ausgewirkt.

Jedoch haben zwei extreme oppositionelle Gruppierungen von der großen Koalition außerordentlich profitiert, nämlich rechtsaußen die Nationaldemokratische Partei (NPD) und linksaußen die sogenannte Außerparlamentarische Opposition (APO). Die NPD kam damals auf annähernd 30 000 Parteimitglieder, sie hat 1969 den Einzug in den Bundestag nur um einige Zehntelprozent verfehlt. Der extrem nationalistische Charakter der NPD hat sowohl im Inland als vor allem auch im Ausland erhebliche Besorgnisse ausgelöst. Nach dem Ende der großen Koalition verfiel die NPD, und ihre Reste gingen zu anderen rechtsextremistischen Gruppen und Parteien über; man kann sie heute zum Teil bei den Republikanern wiederfinden. Für den Fall, daß nach der Bundestagswahl 1994 eine große Koalition gebildet würde, kann man eine vergleichbare Stärkung der rechtsextremen Gruppen und Parteien, vornehmlich der Republikaner, nicht ausschließen.

Dagegen wäre ein Auftrieb von APO-ähnlichen Gruppierungen weniger wahrscheinlich. APO-ähnliche Gruppierungen auf der extremen Linken, die seinerzeit erstmals organisierte Gewalt als Mittel politischer Auseinandersetzung in der Bundesrepublik angewendet haben, aus denen auch die RAF und ihr Terrorismus sich entwickelten, hätten vermutlich nur geringe Chancen. Die Helden von einst, Lenin, Mao Zedong oder Che Guevara, haben infolge des Zerfalls des kommunistischen Sozialismus keinerlei Anziehungskraft mehr, und neue Vorbilder sind nicht in Sicht. Der Vorwurf, wenn keine ausreichende Opposition vorhanden sei,

breche der Faschismus aus, ließe sich auch in abgewandelter
Form kaum wiederholen, nachdem er sich damals als falsch
erwiesen hat. Auch haben die meisten der damaligen Führer
sich bei ihrem «langen Marsch durch die Institutionen» inzwischen zu recht normalen Staatsbürgern gemausert. Vielmehr ist zu erwarten, daß eine große Koalition der PDS und
dem linken, «fundamentalistischen» Flügel der Grünen erheblichen Zulauf bescheren würde.

Die möglichen Auswirkungen einer großen Koalition auf
die Entwicklung des parteipolitischen Spektrums insgesamt
sind also nach den Erfahrungen der Jahre 1966 bis 1969 nicht
als unerheblich einfach vom Tisch zu wischen. Sehr viele
Bürger wären von vornherein mit einer großen Koalition
unzufrieden, sie würden sich hilflos fühlen. Hilflosigkeit
kann aber leicht in Irrationalität und Aggression umschla-
gen.

Das sachliche Ergebnis der großen Koalition war bemer-
kenswert gut – jedenfalls in den ersten beiden Jahren. Karl
Schiller und Franz Josef Strauß, damals halb spöttisch, halb
anerkennend «Plisch und Plum» genannt, konnten mit dem
politischen Rückhalt ihrer beiden Fraktionen und mit großem psychologischen Rückhalt in der Wirtschaft die Rezession ziemlich schnell überwinden. Die fälschlich so genannte
Notstandsgesetzgebung wurde, wenn auch mit großer Mühe, erfolgreich verabschiedet (in Wahrheit ging es darum,
durch Ergänzung des Grundgesetzes die letzten Eingriffs-
rechte der alliierten Siegermächte loszuwerden; tatsächlich
sind seither die neu eingefügten Artikel niemals angewandt
worden). Auch auf vielen anderen Feldern der Politik hat die
große Koalition gute, sachliche Arbeit geleistet.

Dabei sollen zwei Fehlschläge nicht ohne Erwähnung

bleiben. Zum einen haben sich Kiesinger und Brandt über
die Frage, ob wir unsere diplomatischen Beziehungen zu
Kambodscha abbrechen sollten, in die Haare gekriegt. Kambodscha hatte die DDR anerkannt, Kiesinger wollte der – aus
den fünfziger Jahren stammenden – Hallstein-Doktrin ent-
sprechen und unsererseits die Beziehungen zu Kambodscha
abbrechen; Brandt widersprach. Das sachliche Ergebnis ist
heute total uninteressant, ich habe es sogar vergessen.
Wichtig bleibt jedoch die Erfahrung, daß eine große Koalition zerbrechen kann, wenn die Spitzenpersonen der beiden
Parteien sich nicht mehr miteinander verständigen können
und wenn wichtige politische Positionen auseinanderdrif-
ten. Damals haben die beiden Fraktionsvorsitzenden, Barzel
und Schmidt, die Koalition und die Regierung zusammen-
gehalten.

Der andere Fehlschlag betraf die Änderung des Wahl-
rechts. Schon Anfang der sechziger Jahre hatten Herbert
Wehner (SPD) und Karl Theodor Freiherr von und zu Guttenberg (CSU) über eine große Koalition und auch über die
Einführung eines Mehrheitswahlrechts Gespräche geführt.
In das Programm der großen Koalition unter Kiesinger und
Brandt war die Wahlrechtsänderung aufgenommen worden. Zwei Bundesminister, nämlich Paul Lücke (CDU) und
Herbert Wehner, sowie die beiden Fraktionsvorsitzenden
haben dann versucht, eine Wahlrechtsänderung durchzu-
setzen. Sie hätte das anonyme Listenwahlrecht abgeschafft,
nach dem heute die Hälfte der Abgeordneten gewählt wird,
und statt dessen die Direktwahl *aller* Abgeordneten in
Wahlkreisen eingeführt. Mit größter Wahrscheinlichkeit
wäre damit ein für allemal jedwede Koalitionsnotwendigkeit
entfallen (und wir stünden heute nicht vor einem ganzen

Kaleidoskop von Koalitionsmöglichkeiten). Das Projekt ist damals gescheitert. Es wird wohl auch in Zukunft am Widerstand jener Abgeordneten scheitern, die ihr eigenes Mandat nicht einer persönlichen Mehrheit in einem Wahlkreis, sondern einem Platz auf einer Liste verdanken.

Wenn es 1994 zu einer großen Koalition käme, wäre es nach der Erfahrung der Kiesinger-Brandt-Koalition wünschenswert, vor dem Beginn nicht nur eine Liste der gemeinsamen Projekte, sondern auch die Inhalte, die Mittel und Wege zur Verwirklichung jedes Projektes zu erarbeiten und zu vereinbaren. Dem muß eine Bestandsaufnahme der bestehenden Probleme vorangehen. In der Außen- und Sicherheitspolitik würden wenige Projekte zu vereinbaren sein, wohl aber gemeinsam zu verfolgende Prinzipien. Anders in der Innenpolitik: Hier ist – siehe Kapitel III dieses Buches – eine ganze Reihe von Projekten notwendig. Sie zu vereinbaren dürfte zum Teil nicht ganz einfach sein; sie würden auch Geld kosten.

Aber nicht nur deswegen wäre die Bestandsaufnahme der öffentlichen Finanzen eine unabdingbare Voraussetzung für eine derartige Koalition. Eine solche Generalinventur müßte sich auf den Gesamtbereich der öffentlichen Finanzen, auf die Steuerpolitik und die Anleihepolitik erstrecken. Eine Beschränkung auf den Bundeshaushalt wäre sinnloser Dilettantismus.

Auf dem ökonomischen Feld – siehe Kapitel II dieses Buches – wäre aktuell das zweifellos wichtigste Vorhaben, ein wesentliches Wachstum der Wirtschaft und eine wesentliche Senkung der Arbeitslosigkeit zu erreichen. Im Zusammenhang damit stünde die Notwendigkeit, den Aufbau im

Osten nachhaltig zu beschleunigen und parallel dazu staatliche Flankierungsmaßnahmen für die Umstrukturierung jener Produktionen im vereinigten Deutschland zu beschließen, die dem internationalen Wettbewerb nicht mehr oder gegenwärtig nicht voll gewachsen sind, wohl aber Zukunftschancen aufweisen.

Die Mehrzahl der im Kapitel II dieses Buches genannten Vorschläge würde dazugehören – bis hin zum runden Tisch. Der härteste Brocken der Koalitionsvereinbarung wäre gewiß eine prinzipielle Einigung über die beträchtlichen Umschichtungen im Haushalt, ohne die keines der entscheidenden Projekte verwirklicht werden könnte. Dabei wären nicht nur «neue Prioritäten» zu setzen, sondern mindestens genauso wichtig wäre eine Einigung über die entsprechend notwendigen Herabsetzungen des finanziellen Aufwandes und der bisherigen Subventionen für die alten Prioritäten, die nunmehr zu Posterioritäten werden müßten.

Mir scheint es einzuleuchten, daß Helmut Kohl und Theo Waigel für eine derartige Operation nicht in Betracht kommen; denn sie haben die verfahrene finanzielle Situation nicht nur zu verantworten, sondern sie haben sie auch noch im Wahljahr als richtig vertreten und verteidigt. Von ihnen wäre die allergeringste Bereitschaft zu einer gründlichen Umsteuerung, statt dessen vielmehr der größe Widerstand zu erwarten.

Dies könnte ähnlich für Norbert Blüm gelten, wenn es darum geht, für die neue vierjährige Regierungsperiode die Vorbereitung einer grundlegenden sozialpolitischen Umsteuerung vorzusehen. Auch bei der Bildung der Koalition Kiesinger–Brandt war es selbstverständlich, daß die bis dahin in Schlüsselpositionen tätigen Personen ihre Ämter abgeben mußten. Im Falle von Theo Waigel, der immerhin Vorsitzender der CSU ist, wäre eine Ersetzung für die CDU/ CSU nicht ohne Risiko; das immer wiederkehrende Loch-Ness-Gespenst einer Verselbständigung der CSU könnte zum erstenmal real werden.

Schon aus personalpolitischen Erwägungen, noch mehr aber wegen der Erfahrung von 1969, als die CDU/CSU am Ende einer erfolgreichen großen Koalition für dreizehn Jahre in die Opposition verbannt wurde, wird die CDU/ CSU sich höchst ungern auf eine große Koalition einlassen. Für die SPD besteht heute angesichts ihres klaren Vorsprungs in den Meinungsumfragen kein Grund, an eine große Koalition zu denken. Die F.D.P. muß sie schon aufgrund ihres schlechten Abschneidens 1969 nach dreijähriger Oppositionszeit fürchten. Sie wird eher bereit sein, sich an jeder anderen Koalition zu beteiligen, die aus heutiger Sicht als möglich erscheint, und wird deshalb so lange wie möglich während des Wahlkampfes eine Koalitionsaussage vermeiden, um sich keine der Möglichkeiten zu verbauen. Die Grünen möchten gern zum erstenmal in die Regierung, eine große Koalition würde sie aber in der Regierung ganz und gar überflüssig machen; also werden sie während des Wahlkampfes gegen eine große Koalition polemisieren, ähnlich wie die F.D.P., und den Teufel an die Wand malen. Mit einem Wort: Keine der Parteien will eine große Koalition. Auch die Mehrheit der Wählerinnen und Wähler will sie nicht.

Das Paradoxe der Situation ist: Je mehr Stimmen wir den beiden Flügelparteien F.D.P. und Bündnis 90/Grüne geben, je mehr Stimmen an die extremen Links- und Rechtsparteien, also an die Randparteien und an die Protestparteien gehen, um so größer wird die Wahrscheinlichkeit, daß am Ende eine große Koalition herauskommt. Denn entsprechend verringern sich die Mandate von SPD und CDU/CSU. Oder umgekehrt: *Wer eine große Koalition vermeiden will, der muß eine der beiden großen Volksparteien SPD und CDU/CSU stark machen.*

Wenn die Leser mir bis hierher gefolgt sind, so wird doch vielen die praktische Nutzanwendung des letzten Satzes schwerfallen. Deshalb sei hier in anderen und ausführlicheren Worten noch einmal wiederholt: Wem es als das Wichtigste erscheint, die CDU/CSU als Regierungspartei aus dem Amt zu befördern, der muß SPD wählen – auch wenn es ihn oder sie große Überwindung kostet und sie dabei Kröten und Schlangen schlucken müssen (Carlo Schmid). Wenn er oder sie jedoch aus Abscheu vor den Kröten eine der Flügel- oder Randparteien wählte, so bekämen sie die CDU/CSU als Partner einer großen Koalition in der Regierung zurück. Und umgekehrt: Wem es als das Wichtigste erscheint, die Sozialdemokratie auch für die Zukunft von der Regierung auszuschließen, der muß CDU/CSU wählen – auch wenn es sie oder ihn große Überwindung kostet und sie dabei Kröten und Schlangen schlucken müssen. Wenn sie aber aus Abscheu vor den Kröten eine der Flügel- oder Randparteien wählen, so bekämen sie gleichwohl im Ergebnis die SPD als Partner einer großen Koalition in die Regierung.

Auch mir erscheint eine große Koalition keineswegs als ideal. Aber ich habe auch wenig Geschmack an Regenbogenkoalitionen, seien sie von meiner eigenen Partei geführt oder von der CDU. Denn je mehr Parteien an einer Regierungskoalition beteiligt sind, um so schwieriger wird das

Regieren; die Entscheidungsfindung innerhalb der Regierung wird schwieriger, und die Unterstützung durch die Fraktionen, die im Bundestag die Mehrheit tragen und gemeinsam den Bundeskanzler gewählt haben, wird ebenfalls schwieriger. Kompromisse sind in jeder Regierung notwendig, auch wenn sie nur aus einer einzigen Partei besteht. Überhaupt ist die Tugend des Kompromisses eine unerläßliche Tugend in einer Demokratie. Aber je mehr Partner an einem Kompromiß beteiligt sind, um so größer wird die Gefahr eines faulen Kompromisses, der nichts taugt, weil er im Ergebnis nichts Ausreichendes bewirkt.

Wenn wir keine Stimmen an die extremen Republikaner und die PDS verschwenden, wenn sie beide nicht in den Bundestag einziehen, dann wird es wahrscheinlich, daß eine der beiden Volksparteien, SPD oder CDU/CSU, eine Regierung mit nur *einem* Koalitionspartner bilden kann. Dies gilt um so mehr, je weniger Mandate für die beiden Flügelparteien Bündnis 90/Die Grünen und F.D.P. bei den Wahlen herauskommen. Man sieht: *Unter allen Aspekten der Regierungsfähigkeit der neuen Bundesregierung und der sie tragenden Koalitionsmehrheit ist es erwünscht, die beiden Volksparteien so stark wie möglich zu machen und die beiden Flügelparteien tunlichst nicht allzu stark werden zu lassen; die extremen Randparteien jedoch unter die Fünfprozentgrenze zu drücken.*

Als Wähler werden wir beruhigt davon ausgehen dürfen, daß die beiden Volksparteien schon lange die zentralen Anliegen der beiden Flügelparteien zu ihrem eigenen gemacht haben. Das gilt für den liberalen Gedanken der Würde und der Rechte der einzelnen Person. Er ist nicht nur theoretisch, sondern auch in der politischen und Gesetzgebungspraxis längst ein selbstverständliches Prinzip der SPD wie auch der CDU/CSU. Außerdem ist er seit 1949 in den Artikeln 1 bis 19 des Grundgesetzes ausgeprägt und uns allen auferlegt, mitnichten also ein Monopol der F.D.P. Mancher F.D.P.-Politiker, besonders auf deren Wirtschaftsflügel, ist weit konservativer als die Abgeordneten der SPD und als die meisten Abgeordneten der CDU/CSU. Deshalb sitzt ja auch die F.D.P. im Bundestag auf dem rechten Flügel, rechts von der CDU/CSU. Die F.D.P. hofft darauf, zur Regierungsbildung benötigt zu werden. Sie ist ohne Einschränkung regierungsfähig; aber ihre heutigen Spitzenpersonen Kinkel, Möllemann, Rexrodt erreichen nicht das Format, das früher bei Theodor Heuss, Walter Scheel, Karl Hermann Flach oder Hans-Dietrich Genscher zu finden war.

In ähnlicher Weise ist das Grundanliegen der Grünen, nämlich der Schutz der natürlichen Umwelt, schon lange in die Vorstellungen und die Praxis der beiden Volksparteien übergegangen, bei der Sozialdemokratie stärker als bei CDU/CSU. Aber auch bei der CDU/CSU beginnt die ehemals strikte Ablehnung der Grünen aufzuweichen; einzelne CDU-Politiker denken bereits laut und hörbar über die Möglichkeit einer Koalition mit den Grünen nach.

Die Regierungsfähigkeit der Grünen, die sich 1992 mit dem im Osten Deutschlands begründeten Bündnis 90 zusammengetan haben, ist in einigen Bundesländern auf dem Prüfstand, im Bundestag steht die Probe noch aus. Es wäre in jeder Regierungskoalition problematisch, einem ihrer Fundamentalisten ein Bundesministerium anzuvertrauen; aber Antje Vollmer, Daniel Cohn-Bendit oder Joschka Fischer dürften keinen entscheidenden Bedenken begegnen. Entscheidend wird vielmehr werden, ob die Grünen sich zu einem realistischen *gesamtpolitischen* Konzept durchringen können, einschließlich der Innen- und Außenpolitik, vor allem einschließlich der ökonomischen Fragen. Ebenso wichtig werden Fähigkeit oder Unfähigkeit der Grünen zum inneren Zusammenhalt bei der täglichen parlamentarischen Arbeit sein.

Wir Wähler und der Wahlkampf

Das Superwahljahr hat gerade erst begonnen, es birgt noch ungeahnte Möglichkeiten der Veränderung der politischen Grundstimmungen. Die Meinungsumfragen aus dem Winter 1993/94 und die darauf gegründeten Annahmen für eine Regierungsbildung können sich durchaus noch verschieben. Wichtige Signale werden von den Europawahlen im Juni und von den Landtagswahlen in Sachsen-Anhalt im gleichen Monat ausgehen. In Sachsen-Anhalt wird die CDU vermutlich schwer an Prozenten und Mandaten verlieren. Das gleiche ist in Brandenburg im September zu erwarten. Schlechte Stimmung für die CDU ist von daher wahrscheinlich, die übrigen Parteien können davon profitieren. Lediglich die Wahl zum sächsischen Landtag, ebenfalls im September, wird für die CDU glimpflich ausgehen, dank der hervorragenden Leistung des sächsischen Ministerpräsidenten Biedenkopf.

Im Verlauf des Jahres 1994 wird immer irgendwo in Deutschland Wahlkampf sein, die niedersächsische Landtagswahl im März war nur der Auftakt; und zu den Landtagswahlen kommt noch eine ganze Reihe von kommunalen Wahlen hinzu. Wir müssen deshalb mit einer angestrengten Aufgeregtheit der Berufspolitiker rechnen. Denn jeder von ihnen wird fast jede der vielen Wahlen entweder als Menetekel für sich und seine Partei fürchten, oder er wird sie umgekehrt als positives Signal für die nächstfolgenden Wahlen feiern. Beide, der Verlierer und der Gewinner, rechnen mit einer Verstärkung des Effekts bei der nächstfolgenden Wahl. Und tatsächlich könnte sich im Laufe des Jahres ein allgemeiner Dominoeffekt ergeben. Denn wir Wähler sind Stimmungen unterworfen, und manche von uns lassen sich durchaus in der hier geschilderten Weise beeinflussen. Es hat nie zuvor ein solches Dauerwahlkampfjahr gegeben, kaum je haben die politischen Stimmungen unseres Volkes eine so große Breitenwirkung gehabt, wie dies 1994 zu erwarten ist.

Wer aber «macht» die Stimmungen? In allererster Linie werden die Stimmungen von der Entwicklung der Arbeitslosigkeit und der wirtschaftlichen Lage beeinflußt werden – und davon, wie die Medien die Lage darstellen und wie die Politiker sie interpretieren. Möglicherweise werden wir den Dauerwahlkampf bald satt haben; in diesem Falle wird ein wild um sich schlagender Politiker uns besonders unerwünscht erscheinen. Ein anderer, der gelassen und sachlich auftritt, ohne sich etwas zu vergeben, aber auch ohne Scheu, einmal zurückzuschlagen, wird uns dann sympathisch sein. Je länger der Dauerwahlkampf fortschreitet – und er kann ja erst im Oktober mit der Bundestagswahl zu Ende gehen –, um so mehr werden wir von den Politikern Ehrlichkeit verlangen, um so mehr werden wir uns von einem schmutzigen Wahlkampf abwenden.

Das wird auch für die Medien gelten, für die Fernsehkanäle, die Zeitungen und die Magazine. Ihre Redakteure sollten damit aufhören, alle Politiker in einen Topf zu werfen, die guten wie die schlechten, so als ob nur sie selbst erhaben seien über alle menschlichen Schwächen. Die «Dauergereizt-heit der Intellektuellen» (Joachim Fest) gegen die Wirklich-keit und gegen die Politik, die Lust mancher Intellektueller daran, ihre eigene Verdrossenheit möglichst weit auszubrei-ten, gefährden unsere Gesellschaft; sie machen alles nur noch schlimmer.

Kurz bevor Kanzler Kohl sich aus dem Umfeld des Sprin-ger-Konzerns Peter Boenisch offiziell als Wahlkampfberater geholt hat, hatte dieser in der «Bild»-Zeitung geschrieben: «Wer hat etwas von einem richtig schmutzigen Wahl-kampf? Das Volk nicht. Die großen Parteien auch nicht.» Das ist zutreffend. Wenn nur alle Redaktionen und wenn auch nur Boenischs neuer Chef sich diese drei kurzen Sätze auf den Schreibtisch stellen würden! Besonders diejenigen Journalisten haben es nötig, die mit feiner Raffinesse einen dreckigen Wahlkampf betreiben, ohne sich selbst die Finger dabei zu beschmutzen, einen Wahlkampf der Unterstellun-gen im Gewande einer scheinbar objektiven Berichterstat-tung – etwa über bösartige Unterstellungen aus dem Munde eines Politikers.

Wir erhoffen uns von den Politikern wie von den Medien Gemeinsinn, nicht aber Gemeinheiten. Wenn jedoch der Bundeskanzler und CDU-Vorsitzende mit brachialer Ge-walt versucht, alle Kritik an seiner verfehlten Politik der letzten vier Jahre dadurch vom Tisch zu wischen, daß er und seine Büchsenspanner und Mitläufer allenthalben düstere Geschichten über die angebliche moralisch-patriotische Un-zuverlässigkeit der SPD erfinden, und er dies zum Haupt-thema seines Wahlkampfs machen will, dann werden wir,

die Wählerinnen und Wähler, diesen dreckigen Trick durchschauen. 1994 soll doch keiner deswegen abgewählt werden,
weil er Honecker in Bonn einen roten Teppich ausgerollt
oder mit Honecker vertraulich geredet oder telefoniert hat,
sondern wir wollen Frauen und Männer wählen, denen wir
zutrauen, mit der von Helmut Kohl hinterlassenen Misere
aufräumen zu können.

Kohl selbst hat am 21. Februar 1994 den Hamburger Parteitag seiner Partei dazu benutzt, ihr für das ganze Wahl-
kampfjahr eine einzige Parole aufzuzwingen, indem er die
Sozialdemokraten des «Verrates an Deutschlands Zukunft»
für schuldig erklärte und gleichzeitig alle wirklichen Fragen
nach unserer Zukunft beiseite schob. Dieser Mann hat kein
Konzept für unsere wirtschaftliche Zukunft, keine Vorstellung von unserer geistigen Zukunft, er kann weder die von
ihm verschuldete Massenarbeitslosigkeit wenden noch die
Gewalttaten in Deutschland beenden. Aber den Gegner in
den Dreck seiner Verdächtigungen ziehen, das kann er. Er
hat mit unbändigem Machtwillen seine Partei zum bloßen
Kanzlerwahlverein degradiert, der Kanzlerwahlverein hat
ihm stehend Beifall geklatscht. Aber keiner hat gemerkt,
daß Kohls Parole in historischer Wahrheit von den Kommunisten stammt. Denn es waren die Kommunisten, die in der
Weimarer Demokratie die Parole ausgegeben haben: «Wer
hat uns verraten? Sozialdemokraten!» Diese schmutzige Parole hat einiges zum Niedergang der Weimarer Demokratie
beigetragen. Wenn Kohl sie heute erfolgreich verbreiten
sollte, kann die gleiche Parole abermals die Demokratie be-
schädigen.

Demokratie lebt vom Wechsel der Regierenden. Wenn
einer sechzehn Jahre lang regieren will, dann nähert er sich

Zuständen, wie wir sie aus einigen exotischen Staaten kennen. Genau das können wir aber nicht wollen. Für eine sechzehnjährige Regierung eines und desselben Machtmenschen gibt es in keiner europäischen Demokratie ein Beispiel. Auch wir dürfen unseren Nachbarn kein Beispiel geben, wie man es nicht machen soll.

Deshalb müssen wir uns einmischen! Wir müssen kritisieren, was uns mißfällt! Wir müssen Fragen stellen! Wir müssen verlangen, die Kandidaten zum neuen Bundestag nicht hinter verschlossenen Türen auszukungeln, sondern wir wollen sie als Parteimitglieder in geheimer, schriftlicher Wahl selber bestimmen. Das Beispiel der Wahl Scharpings hat gezeigt, wie das gemacht wird. Laßt uns das gleiche Verfahren für alle Kandidaten in unserem Land verlangen, nicht bloß für alle Sozialdemokraten, sondern ebenso für alle Christdemokraten, alle Grünen und alle Freien Demokraten.

Laßt uns die Kandidaten befragen: Wie wollen Sie die Arbeitslosigkeit bekämpfen? Was wollen Sie tun, damit die Gräben zwischen Ost und West eingeebnet werden, damit wirklich endlich «zusammenwächst, was zusammengehört» (Willy Brandt)? Was wollen Sie gegen die Gewaltkriminalität tun? Warum sind Sie für die europäische Integration? Warum sind Sie gegen Kohl? Oder glauben Sie, Kohl sei der Beste? Was halten Sie von seiner Verratsparole? Warum sind Sie für Scharping?

Ganz gewiß haben wir aber auch Fragen, die wir im stillen an uns selbst richten müssen. Dazu gehört die Mahnung, sich klarzumachen, daß Demokratie nicht vom allgemeinen Wohlstand abhängen darf.

Wir in der alten Bundesrepublik haben seit 1949 ziemlich

beständig wirtschaftliche und soziale Verbesserungen erlebt. Es ist uns von Jahr zu Jahr ein bißchen besser gegangen; zwar gab es einige Unterbrechungen und Rückschläge, aber im großen und ganzen ging es aufwärts. Jetzt erleben wir im Westen zum erstenmal einen schweren Rückschlag. Aber das darf doch kein Grund sein, der Demokratie den Rücken zuzuwenden.

In den östlichen Bundesländern wurden seit 1949 nur recht bescheidene Fortschritte des Lebensstandards erreicht. 1990 glaubten viele, die Demokratie würde einen großen Sprung nach vorn erlauben. In dieser Hoffnung sind sie enttäuscht worden. Aber diese Enttäuschung darf doch kein Grund sein, an der Staatsform der Demokratie zu zweifeln. Man hat den Bürgern der ehemaligen DDR ein wirtschaftliches Wunder versprochen, aber auch die Demokratie kann keine Wunder hervorbringen. Na und? Das kann doch kein Grund sein, sich eine Diktatur-Partei ans Ruder zu wünschen. Wir wissen doch noch, wie eine Diktatur sich anfühlt!

Wir alle miteinander müssen unsere Enttäuschungen und unsere Bitterkeit im Zaume halten. Es ist ja wahr, unsere politische Klasse und die politischen Parteien haben viele Fehler, manches an ihrem Tun und ihrem Gehabe mißfällt uns sehr. Aber wir haben nun einmal keine anderen! Schon unsere Großväter haben schreckliche Erfahrungen machen müssen, als viele von ihnen meinten, man solle es einmal mit den Parteien vom extremen linken oder vom extremen rechten Rand versuchen. Laßt uns diesen Fehler nicht wiederholen!

Die Deutschen in Ost und West sollten gemeinsam versuchen, die gegenseitige Entfremdung zu überwinden, die in vierzig Jahren der Teilung entstanden ist, ohne daß wir es merken konnten. Jetzt haben wir es aber gemerkt. Und jetzt ist es unsere Sache, uns gegenseitig anzunehmen, uns gegenseitig unsere Leben zu erzählen, uns gegenseitig zu verstehen. Wir wissen, daß die Politiker dazu nur beitragen können, machen müssen wir das selbst. Laßt uns einen gesamtdeutschen «Patriotismus der Solidarität» (Heinrich August Winkler) entfalten!

Nicht nur die Politiker und Parteien haben Pflichten gegen uns und gegenüber unserem Gemeinwesen. Sondern wir selbst, die Regierten, die Bürgerinnen und Bürger, die Wählerinnen und Wähler, wir alle haben auch Pflichten gegenüber unserer Nation. Es ist wahr, was in der Verfassung meiner Vaterstadt Hamburg geschrieben steht: «Jedermann hat die sittliche Pflicht, für das Wohl des Ganzen zu wirken.» Und es ist immer noch richtig, was vor zweihundert Jahren Immanuel Kant uns gesagt hat: «Habe Mut, dich deines eigenen Verstandes zu bedienen.»

Es ist unsere Vernunft, die bei einer Wahl von uns gefordert ist – nicht unsere schlechte Stimmung.

Die Entscheidung

Jede Demokratie braucht politische Parteien, sie müssen vor den Wählern miteinander ringen. Alle vier Jahre entscheiden wir, wer uns regieren soll. Das muß auch in Zukunft so bleiben. Deswegen können wir den extremen Randparteien nicht unsere Stimme geben; denn wir wissen nicht, ob sie bei der Demokratie bleiben würden, wenn wir sie machen ließen.

Die meisten Demokratien haben mehr als nur zwei Parteien. Das ist auch bei uns so. Von den beiden Flügelparteien F.D.P. und Bündnis 90/Die Grünen wird wahrscheinlich *eine* 1994 als Koalitionspartner für die Regierungsbildung gebraucht werden. Aber keine von ihnen kann eine Person aufweisen, die für das Amt des Bundeskanzlers in Betracht zu ziehen wäre. Keine der beiden Flügelparteien ist fähig, die neue Regierung zu bilden. Deshalb sollten wir sie auch nicht zu stark machen.

Entweder wird die SPD oder die CDU/CSU die Kanzlerpartei sein und die Regierung für die nächsten vier Jahre bilden. Je stärker wir diese beiden großen Volksparteien machen, um so weniger Koalitionspartner werden sie brauchen. Wenn sie mit nur einem einzigen Koalitionspartner auskommen – um so besser! Denn um so entschlußfreudiger und um so handlungsfähiger wird die Regierung sein.

So geht es also am 16. Oktober 1994 in Wahrheit um die Frage: SPD oder CDU, Scharping oder Kohl?

Kanzler Kohl ist bereits seit zwölf Jahren im Amt. Er wird wegen der deutschen Vereinigung am 3. Oktober 1990 in die deutsche Geschichte eingehen, allerdings nicht allein, sondern gemeinsam mit Gorbatschow, Bush, Mitterrand und Frau Thatcher, gemeinsam mit vielen, vielen anderen, von Budapest bis Leipzig und von Ostberlin bis Bonn. Keiner macht Kohl *dieses* Verdienst streitig. Aber jeder kann heute, vier Jahre später, erkennen: Er hat seither seine Sache nicht gut gemacht. Er kann für die letzten vier Jahre keine gute Bilanz vorzeigen. Wenn er nach der wirklichen «Lage der Nation» gefragt wird, bleibt er bei Schönfärberei, bei halben Wahrheiten und bei vagen Hoffnungen. Wir haben das oft genug von ihm gehört. Er kann auch für die nächsten vier

Jahre nicht wissen, wie wir aus der heutigen Misere herauskommen sollen.

Die CDU/CSU wird eine für Deutschland wichtige konservative Volkspartei bleiben – auch ohne ihren heutigen Spitzenmann Helmut Kohl. Er kämpft einzig um die Erhaltung seiner Macht. Ein bloßer Denkzettel durch die Wähler wäre ganz unzureichend. Denn er muß abgelöst werden. «Einer kann nicht für immer regieren», sagt Aristoteles, «es muß ein Wechsel sein.»

Was wir heute an der Spitze unseres Staates brauchen, das ist eine unverbrauchte Kraft. Sie bietet sich an in Rudolf Scharping. Dies ist ein Mann, der als Regierungschef in Rheinland-Pfalz das Regieren gelernt und der dort gezeigt hat, was er kann. Er hat fähige Frauen und Männer um sich. Sie werden gemeinsam mit frischen Kräften an die Arbeit gehen.

Deutschland hat diesen Wechsel nötig. Die Arbeitslosigkeitskrise verlangt nach dem Wechsel – und die Erinnerung an die Weimarer Demokratie verlangt auch nach dem Wechsel. Deshalb wird in diesem Jahr eine wichtige Entscheidung von uns verlangt, von uns, den Regierten, von uns, den Wählerinnen und Wählern.

Danksagung

Für Anregungen und Kritik in vielerlei Gesprächen und Diskussionen habe ich zu danken; besonders Hans Apel, Rainer Barzel, Willi Berkhan (†), Kurt Biedenkopf, Karl Dietrich Bracher, Birgit Breuel, Günter de Bruyn, Daniel Cohn-Bendit, Warnfried Dettling, Klaus von Dohnanyi, Robert Ehret, Hans Magnus Enzensberger, Joachim Fest, Justus Frantz, Joachim Gauck, Bernd Guggenberger, Hildegard Hamm-Brücher, Wilhelm Hennis, Rolf-R. Henrich, Eberhard Jäckel, Maria Jepsen, Hans-Ulrich Klose, Jürgen Kocka, Peter Kreyenberg, Hans Küng, Gerhart Laage, Georg Leber, Siegfried Lenz, Wolf Lepenies, Klaus Liepelt, Hermann Lübbe, Reimar Lüst, Kurt Masur, Hartmut Mehdorn, Ernst-Joachim Mestmäcker, Meinhard Miegel, Claus Noé, Elisabeth Noelle-Neumann, Michael Otto, Werner Otto, Alfons Pawelczyk, Heinrich Rathke, Johannes Rau, Jens Reich, Janusz Reiter, Edzard Reuter, Volker Rühe, Karl Schiller, Richard Schröder, Peter Schulz, Lothar Späth, Fritz Stern, Peter Struck, Michael Stürmer, Katharina Trebitsch, Antje Vollmer, Henning Voscherau, Max Warburg, Martin Willich, Heinrich August Winkler, Christa Wolf sowie meinen Freunden in der SPD-Bundestagsfraktion und meinen Kollegen in der Redaktion der ZEIT. Keiner der Genannten trägt irgendwelche Mitverantwortung für den Inhalt dieses Buches.

Außerdem danke ich meiner Frau Loki und Thomas Karlauf sowie meinen Mitarbeitern Birgit Krüger-Penski, Ruth
Loah, Rosemarie Niemeier, Uwe Plachetka, Petra Rosen-
baum und Robert Vehrkamp für vielerlei Hilfen.

Sachregister

Personenregister

Christian Graf von Krockow
Die Deutschen vor ihrer Zukunft

160 Seiten. Gebunden

Die deutsche Geschichte der Freiheit war immer eine Geschichte ihrer Niederlagen. Die Bürgerrevolution von 1848: gescheitert. Die Weimarer Republik: des «Verrats» geziehen und zerstört. Der 20. Juli 1944: fehlgeschlagen. Der Aufstand vom 17. Juni 1953: niedergewalzt. Nicht von ungefähr hatten sich die Westdeutschen einen Tag der Niederlage zum Nationalfeiertag erkoren. Und heute? Statt von Aufbruchstimmung getragen, ist die Gemütslage der Nation seit der Vereinigung von Niedergeschlagenheit bestimmt. Warum?

Die Deutschen in Ost und West, Linke wie Rechte, haben, so scheint es, mit ihren Feindbildern auch ihre Identität verloren. Sind wir unfähig, uns ohne Angst der Zukunft zuzuwenden, fragt Christian Graf von Krockow und plädiert in seinem historischen Essay dafür, den offenen Augenblick der deutschen Geschichte zu nutzen für ein neues Selbstbewußtsein.

«Ob man mit Krockows Thesen übereinstimmt oder nicht, sie sind von einiger Tragweite. Krockow konfrontiert seinen Leser mit Paradoxien, über die zu debattieren es sich lohnt.»   *Die Woche*

Rowohlt · Berlin

Wilfried Loth
Stalins ungeliebtes Kind
Warum Moskau die DDR nicht wollte

285 Seiten. Gebunden

Basierend auf sensationellen Archivfunden, erzählt Wilfried Loth die Gründungsgeschichte der DDR als eine Geschichte der fortgesetzten Interessengegensätze zwischen der SED-Führung und Stalin, der bis zu seinem Tod 1953 an einer gesamtdeutschen Option festhielt. Stalin wollte weder einen Separatstaat auf dem Boden der sowjetischen Besatzungszone noch überhaupt einen sozialistischen Staat in Deutschland. Die DDR ist in erster Linie vielmehr ein Produkt des revolutionären Eifers von Walter Ulbricht, der sich vor dem Hintergrund westlicher Abschottungspraxis entfalten konnte.

Mit diesem Befund sind zwei Lebenslügen zerstört, die die deutsche Nachkriegspolitik entscheidend geprägt haben: die Behauptung nämlich, zu Adenauers Politik der Westintegration habe es keine Alternative gegeben, und die Legende, die Regierung in Ostberlin sei nichts anderes gewesen als eine Marionette in den Händen Moskaus.

«‹Stalins ungeliebtes Kind› liest sich wie ein historischer Kriminalroman, der einen Täter (Ulbricht) und sein Opfer (Stalin) hat.»   *Peter Merseburger*

Rowohlt · Berlin

Das war die DDR
Eine Geschichte des anderen Deutschland

Herausgegeben von Wolfgang Kenntemich,
Manfred Durniok und Thomas Karlauf
256 Seiten. 170 Abbildungen. Broschur

Im Oktober 1993, drei Jahre nach der deutschen Vereinigung, unternahm die
ARD in einer siebenteiligen Dokumentation erstmals den Versuch, die Geschichte der DDR umfassend darzustellen. Das Begleitbuch erzählt aus der
Perspektive der Betroffenen: Wie lebte man als Bürger dieses Staates, welche
Hoffnungen und Wünsche, welche Sorgen und Nöte prägten den Alltag? In
eigens für diese Dokumentation geführten Interviews kommen die einst
Mächtigen ebenso zu Wort wie die, die sie verfolgten. In den hier zum Teil
erstmals publizierten Fotografien verdichten sich Glanz und Elend des anderen Deutschland.
    Was war die DDR? So viele Fragen, so viele Antworten. Eines aber scheint
klar: Je langwieriger und mühsamer sich der Vereinigungsprozeß gestaltet,
desto schwerer fällt vielen ein abschließendes Urteil. In dieser Hinsicht bietet
das vorliegende Buch ein Stück historischer und politischer Aufklärung.

«Eine wichtige Hilfe gegen das Vergessen.»   *Wolfgang Templin*

Rowohlt · Berlin

Jens Reich
Abschied von den Lebenslügen
Die Intelligenz und die Macht

176 Seiten. Gebunden

«Es gibt wenige Intellektuelle aus der alten DDR, denen man heute noch im Westen zuhört – Jens Reich gehört dazu... Am herrlichsten sind seine Schilderungen der bizarren berufsbedingten Gespräche mit der Staatssicherheit, die eine eigene Dependance an seinem Institut hatte: Das ist Orwell und Ionesco, das ist beklemmend und ironisch, da kann man sich DDR pur vorstellen.» *Die Zeit*

«‹Abschied von den Lebenslügen› ist ein bemerkenswertes Buch. Die Reflexionen über den DDR-Alltag lesen sich köstlich, und auch die Passagen, denen man unbedingt widersprechen muß, liest man nicht ohne Nutzen.» *Neues Deutschland*

«Reichs mit analytischer Schärfe und stilistischer Brillanz formulierte Ansichten, die er zudem mit feinem Humor und Selbstironie vorzutragen versteht, haben eine intensive Diskussion verdient.» *Neue Zeit*

«Für ihn war die Revolution von 1989 nicht so sehr der Anfang einer Zukunft, von der man nun enttäuscht sein könnte. Sie war vor allem der Abschluß einer Vergangenheit, die sich nicht länger ertragen ließ. Jetzt hat endlich die Gegenwart begonnen.» *Frankfurter Allgemeine Zeitung*

Rowohlt · Berlin